略傳

一九一五年六月：夢參老和尚出生於中國黑龍江省開通縣。

一九三一年：在北京房山縣上方山兜率寺，依止慈林老和尚剃度出家，法名為「覺醒」。但是他認為自己沒有覺也沒有醒，再加上是作夢的因緣出家，便給自己取名為「夢參」。

同年在北京拈花寺受比丘戒，戒期圓滿，南下九華山，朝禮地藏菩薩道場，正遇上六十年舉行一次的開啓地藏菩薩肉身塔法會。由於因緣殊勝，為老和尚爾後弘揚地藏法門種下深遠的影響。

一九三二年：轉赴福建省福州市鼓山湧泉寺參訪，他對湧泉寺當時的一切境界似曾相識，彷彿故地重來。

當時虛雲老和尚於鼓山創辦法界學苑，並請慈舟老法師主講《華嚴經》。

他決定依止慈舟老法師學習《華嚴經》，歷時半年，仍無法契入華嚴義海，遂親自向慈舟老法師請法，之後決定以拜誦〈普賢行願品〉、燃身臂供佛的苦行，開啓智慧。

除依止慈舟老法師，學習《華嚴經》外，更旁及虛雲老和尚的禪法，有時也奉慈舟老法師之指示，代講經論，諸如《阿彌陀經》等等。

一九三六年：赴青島湛山寺，依止倓虛老法師學天台四教，並擔任湛山寺書記，負責倓虛老法師的庶務以及對外連絡事宜。

在湛山寺擔任書記期間，一方面向倓虛老法師習天台四教，及宣揚慈舟老法師的戒律精神。隨後奉倓虛老法師之命，禮請慈舟老法師北上青島湛山寺講律，又護送慈舟老法師到北京，開講《華嚴經》。

一九三六年底：再度奉倓虛老法師之命，赴福建廈門萬石巖，禮請弘一大師北上弘律，歷時半年之久。因《梵網經》的請法因緣，弘一大師同意北上湛山寺，開講〈隨機羯磨〉。

一九三七年：擔任弘一大師的侍者半年，以護弘老生活起居，深受弘一大師身教的啓發。當時並就近依《占察善惡業報經》所描述的占察輪相，請弘一大師親手製作一付，以供修習。

弘一大師爲了答謝他擔任半年的外護，親贈手書的「淨行品」偈頌乙本。

一九三七年至四〇年：隨同倓虛老法師在長春般若寺傳戒，講四分戒律，並往來於東北各省、北京、天津、山東等地，講經弘法。其間曾接觸來自西藏的藏僧，引動了赴西藏學習密法的因緣。

一九四〇年：由北京至香港、新加坡、印度弘法並朝禮佛陀遺跡。

一九四一年：轉赴西藏拉薩學習密法，住在西藏黃教三大寺之一的色拉寺學習經論五年，依止夏巴仁波切，赤江仁波切，並因能海老法師的引進參拜康薩仁波切。

一九四五年至一九四九年：轉赴西康等地參學，總計在西藏學習密法達十年之久。

一九五〇年：由西藏返回中國內地，被錯判刑十五年，勞動改造十八年，入獄長達三十三年。在獄中，他經常觀想一句偈頌：「假使熱鐵輪，在汝頂上旋，終不以此苦，退失菩提心。」奠立了爾後重回佛教，弘揚佛法的信心。

一九八二年：平反出獄，回北京任教於北京中國佛學院。在這段時間如法修學地藏法門，重啓弘揚經論的智慧。

一九八四年：接受福建南普陀寺妙湛老和尚、圓拙長老之邀，到廈門南普陀寺重建閩南佛學院，並擔任教務長一職，開講《華嚴經》、《法華經》、《楞嚴經》、〈大乘起信論〉等。

一九八七年：應美國萬佛城宣化上人之邀，赴美數月後返回中國。

一九八八年：應美國洛杉磯妙法院旭朗法師之請，再次赴美弘法，開講

《占察善惡業報經》、〈華嚴三品〉、《地藏經》、《心經》、《金剛經》、《華嚴經》等，並數度應弟子邀請到加拿大、紐西蘭、新加坡、香港、台灣等地區弘法。

二〇〇四年：住五台山靜修，並於普壽寺開講《大方廣佛華嚴經》。

二〇〇六年：講演《華嚴經》同時，並應四眾弟子啓請，同時開講《大乘大集地藏十輪經》。

二〇〇七年：《大方廣佛華嚴經》講演圓滿，歷時三年又一個月，共五百餘座。並以九三高齡再度開講《大乘妙法蓮華經》。

大乘大集地藏十輪經

十輪品第二

夢參老和尚 主講

大乘大集地藏十輪經

夢參老和尚主講

十輪品第二

「爾時地藏菩薩摩訶薩從座而起，整理衣服，頂禮佛足，偏袒右肩，右膝著地，合掌恭敬而白佛言：我今問世尊，無量功德海，唯願賜開許，爲解釋除疑。」

現在我們開始講《十輪經》正分。這一品的經文，就是地藏菩薩所要講的十輪；而且是他請示佛，什麼是十輪？有衆生的十輪，有佛的十輪。佛說的法，是對著衆生所作的種種業，我們現在在苦難當中，想求解脫；怎麼樣才能解脫呢？佛就告訴我們一些方法，每部經都如是。先是菩薩的請求，佛的啓示，菩薩再請問，佛又說。只要會中有佛在場的，都是釋迦牟尼佛說的。

地藏菩薩在序分當中讚歎佛，佛也讚歎他，之後，地藏菩薩就從座位起來。請法的時候，要先有個啓請的儀式。現在聖者沒有了，賢者過去了，就剩下一般的凡夫，泛泛的請法，連個意思都沒有表示，只說：「法師！那個怎麼解釋？」這在過去是不行的；你要問問題，就從你的座位起來，把衣服整理好，「偏袒右肩，右膝著地」。我們現在這件衣，肩膀部分是偏出來的。爲什麼每個頂禮，都偏袒右肩呢？因爲在沒有頂禮之前，有時候氣候寒冷，兩個肩膀都蓋上。等他要請示的時候，一定要把這個衣掩過來，露出膀子，這叫「偏袒右肩」。印度跪著是右膝著地，這個右腿，單腿跪，跪的時候，一條腿跪著，一條腿支著。完了，兩隻手要合掌。這就是請法的儀式，要請法必須作這個儀式。

但是，佛法傳到中國來，特別是在三武滅佛之後，禪宗把佛法的老規矩，把佛所教導的全敗壞了。雖然說是敗壞了，也可以說是他爲了當機者開悟，不注重這種形式，又喊又打，甚至還有用罵的。丹霞劈佛，燒佛像，這些情形都不能視爲常規，這跟佛所教導的儀軌不合。大吼兩聲，或者給你耳光，或者踢你一腳，什麼形式都有，只要讓你開悟就行了，他的目的是這樣。但是在佛的儀軌上，這樣是不許可的。無論大菩薩請示佛，或者你要請法，要有這個儀式，我剛才形容的就是這個請法儀式。

再來就是表白，請法的時候，還要讚嘆。「我今問世尊」，就是請問的意思。「無量功德海」是佛的功德，無可限量的。那麼，拿什麼來比呢？就像大海。海者是深，海者是廣，你的智慧，像海那麼樣深，像海那麼樣廣，也就是無所不知，無所不曉。所以，我請佛允許，唯願恩賜的意思，許可給我們說一說，好解釋我們的疑問，「爲解釋除疑」。我們的方式是先把事情說出來，完了是求解釋。印度的方式則是先讚嘆，完了，請你開示，幫我解除疑問，以下才說是什麼事。他一請示，還沒有等地藏菩薩問，佛又讚嘆他。

「世尊告曰：汝眞善士，於一切法智見無礙，爲欲饒益他有情故，請問如來，隨汝意問，吾當爲汝分別解說，令汝心喜。於是地藏菩薩摩訶薩以頌問曰：我曾十三劫，已勤修苦行，為一切有情，除三災五濁。多俱胝佛所，已設無邊供，曾見大集會，清信眾和合。聰哲勤精進，皆來同會集，未曾見如是，無諸雜穢眾。」

「世尊告曰：汝眞善士」，說你是一位眞正的善人，這個善可不是我們一般的善，而是究竟的眞善士。佛稱呼弟子都稱善士，善男子、善女人都加個善字。「善」就是你能夠與我有緣，接近了，這個善緣是不容易的。你是一位向善者，去除一切垢染，究竟清淨。這是佛稱許地藏菩薩的，說你對於一切法，你的智慧已經沒有障礙，自己都能通達了。本來你是用不著問的，但是你為什麼要問呢？「為欲饒益他有情故」。如果沒有地藏菩薩的請示，這部《大集十輪經》也不可能說的。

佛是很少自己說法，必須有請問的機，佛才說法。無機，就像我們無的放矢是不可以的。你欲饒益一切他有情故，利益眾生，所以才請問如來。我就「隨汝意問」，你想問什麼就問什麼，我就分別的跟你解說，令你歡喜。

令地藏菩薩歡喜，就是令一切衆生歡喜，於是地藏菩薩就問了。

以下就是地藏菩薩所問的主要目的，也就是此經的重點。他要問什麼呢？他說，我曾經修行了十三劫，用十三劫的時間來修行苦行。一劫是好長時間呢？可以分爲成、住、壞、空四劫，四個中劫就算一個大劫。現在我們這個劫是住劫。住劫，人的壽命是從這個八萬四千歲，就說八萬歲，過一百年減一些，減到人壽命十歲；再從十歲過一百增一歲，增到八萬四千歲，那麼，這一增一減，算一劫。地藏菩薩說，我曾經用十三劫的時間，十三次的這個八萬四千歲的一增一減。作什麼呢？修苦行，所修的苦行並不是我們這種勞動的苦行。

我們知道地藏菩薩都是在地獄當中，在這五濁惡世，在沒有佛法的時候，衆生苦難的時候，他來度衆生，那麼他用這麼長的時間，從年上算是不可計算，要是從日子上算就更長。就是爲度一切衆生，爲一切有情，除三災八難。這個三災，大三災是火水風，小三災是刀兵、飢饉、瘟疫。這兩個三災都要除，要想轉變這社會的型態，變的好一點，不要像現在三災這麼普遍。五濁，劫濁的時候不好。見濁，衆生的看問題不一樣，亂得很，經常爲了知見的不同，說話吵架。劫濁、見濁或者煩惱濁，爲什麼會這樣呢？生了煩惱，太重。這個時候的衆生，從他的壽命，從他的人形，從他的種種樣態，都是混濁不清。最後是命濁，這叫五濁惡世。

我曾經修苦行，修了這麼長的時間，讓一切衆生免去三災五濁的痛苦。我也曾在多俱胝佛所（一俱胝就是一億），就是在那麼多的億佛所面前，我供養了很多，設無邊供。我也看著每個佛所有很大的聚會；那些聚會來的聞法弟子，那些親近佛的弟子，大家都是很和合的，信心是很清淨的，都是很聰明、有智慧。而且是在聞了法之後能夠精勤勇猛修行的，都同來集會，聞佛法。「未曾見如是，無諸雜穢衆。」在那個大集會的時候，好像沒有三災，沒有五濁。未曾見如是，沒有雜穢，沒有這樣的衆生。

我用十三劫修行的時間，參加了很多佛的集會處所。每個佛的集會處所都很好，來的大衆都很清淨的。那個社會的世間也很好，衆生也很清淨的。但是我現在看見的就不一樣，在這裡所要問的主要意思就是問我們這個世界。

「云何此佛國，穢惡損淨善，智者皆遠離，惡行者同居。多造無間罪，誹謗於正法，毀聖起惡見，妄說斷常論。具造十惡業，不畏後世苦，多遠離三乘，臭穢向惡趣。無明蔽其目，貪嫉多奸矯，云何轉佛輪，度此眾生類？云何破相續，如金剛煩惱？云何得總持，果能如是忍？今我見導師，大集甚希有，未曾見餘處，具如是眾德。具杜多功德，勤修菩提道，云何處愚眾，能開示佛輪。」

「云何此佛國，穢惡損淨善。」為什麼這個國土，也就是這個娑婆世界髒亂得不得了，盡是惡性眾生，沒有清淨的善信？「損淨善」，前面講清，這裡講淨；這是文字翻譯的作用，就是像那樣的清淨眾，沒有聰哲精勤淨者，有智慧的人都不到這個世界來，都遠離了。作惡的眾生，都聚到一起，這個世界就是眾惡混濁。「多造無間罪」，作的業都是無間罪。弒母、殺父親、弒阿羅漢、出佛身血、破和合僧，這叫五無間罪。乃至於「誹謗於正法」，這個正法是指佛所說的清淨法。至於我們所講的，相信自己是佛，那就更深奧了。

這裡所說的正法是行十善業，也就是身、口、意十業。依佛的教導，不作諸惡，那就算正法。甚至於詆毀聖者，聖者是指著佛所說的，或者這些大菩薩，謗毀三寶。他看問題的看法不一樣，乃至燒佛像，殺和尙，關和尙，甚至把藏經都燒了，認爲這是迷信，「毀聖起惡見」。「妄說斷常論」，互相所談論的都是虛妄言語，不是斷，就是常，總是二邊，不契合中道；或者說人生，死了就算了，這是斷見。要想保持未來的身，保持自己的身體，要活多少年，這是常見。要是眞的許可的話，世間上眞的有這個例子，人人都永遠不想死，這是不可能的。不是落於斷，就落於常。虛妄說，顚倒說，「妄說斷常論」。

而他們所造的都是十惡。身三，「殺、盜、淫」。口四，「妄言、綺語、兩舌、惡口」。意三，「貪、瞋、癡」。這十個就叫十惡業。加個不字，就是十善，不起貪瞋癡，不起殺盜淫，不作殺盜淫。這十惡業，他作的時候從來不會害怕將來要受的苦報。因爲他生起斷見了，沒有後世，他還怕什麼後世苦；更談不上聲聞、緣覺、菩薩乘。「多遠離三乘」，善法更不會親近。正法修道，他是遠離的；三乘既遠離，又向什麼地方去呢？墮三惡道。「臭穢向惡趣」，就是三惡趣苦。最苦的是地獄、餓鬼、畜生，人間也不見得怎麼好，天福享盡了照樣墮落。說五惡趣可以，說六趣也可以，乃至一般所說的趨向惡趣，都是指三惡道說的。

爲什麼他們這樣作呢？因爲被無明遮蔽他們的清淨法眼，「無明蔽其目」。他們看不見，不是貪心，就是嫉妒。「貪嫉多奸矯」，也就是奸詐到不得了。像這一類的衆生，像社會這樣子，佛，您怎麼度衆生？「云何轉佛輪」，您怎麼說法？如何轉佛輪，對治衆生的惡輪？這就是這部《十輪經》的涵義，爲什麼講輪呢？輪者有摧輾之功，像我們這兒有往前推動力，車輪能把你輾碎，佛輪就把一切衆生的惡給輾化。

佛，您怎麼轉佛輪來度這一類的衆生？「云何破相續，如金剛煩惱。」衆生的煩惱像金剛那麼堅利、那麼固執，相續不斷，你是怎麼樣轉佛輪，截斷衆生的相續業，也就是截斷煩惱流，生起清淨流，讓他解脫。或者是用金剛般若波羅蜜智慧，破除煩惱，使他們得到三昧。「云何得總持」，就是得到三昧，得到大定。

「總一切法，持無量義」，這樣子能不能證得無生法忍呢？這個忍就是無生法忍。果能如是，能這樣得到嗎？「今我見導師，大集甚希有。未曾見餘處，具如是衆德。具杜多功德，勤修菩提道，云何處愚衆，能開示佛輪。」他讚歎佛，我今天看見導師的這個大集會，好像是變了，您是怎麼度脫的？將這個五濁惡世轉變成這樣子，我在餘處沒有看到過，沒有像今天這樣的集會。

「杜多」是煩惱，斷除一切煩惱，把這垢塵煩惱都斷除了，斷除煩惱就是功德。這個功德是怎樣來的呢？這煩惱是怎麼斷除呢？勤修菩提道得來的。菩提道次第，就是一步一步的修，從懺悔罪業，之後修定、修慧，這是很不容易的。

「云何處愚衆，能開示佛輪。」佛，您處在這樣愚癡的大衆當中，怎麼會清淨呢？如何還能說法度衆生？開示佛輪就是說法。此後，佛就用比喻說明這十輪，也就是用佛的十輪，來轉化衆生的十惡輪。在這裡，十惡業就是十輪。如何轉動佛輪？佛用比喻，再加上示現來轉動佛輪。以下佛所要說的就是十輪。

「世尊告曰：善哉！善哉！善男子，汝於過去殑伽沙等諸佛世界五濁惡時，已曾請問殑伽沙等諸佛世尊如是法義。汝於如是所問法義，已作劬勞，已善通達，已到圓滿衆行彼岸，已得善巧方便妙智。今爲成熟一切有情，令得利益安樂事故，令一切菩薩摩訶薩，善巧方便聖行伏藏施等六種波羅蜜多，成熟一切有情勝行，一切智智功德大海速圓滿故。爲轉一切刹帝利王諸暴惡行，使不墮落三惡趣故。爲令此土三寶種性威德熾盛久住世故，復問如來如是法義。諦聽諦聽！善思念之，吾當爲汝分別解說。唯然世尊，願樂欲聞。」

在說十輪的時候，先用世間國王最初接掌王位，乃至於怎麼樣登上王位的過程，來說明佛是如何修成佛道的。在這樣請示之後，佛沒有說法之前就先說，你這個請問，不止向我請問，你請問的次數太多了，不止問過我，你還問了像恆河沙那麼多的諸佛。佛就告訴他說：「善哉善哉！」就讚歎他說，你問的很好。善男子，就是佛稱地藏菩薩。「汝於過去殑伽沙等諸佛世界五濁惡時」，地藏菩薩都是在無佛時代出世，在五濁惡世的時候，就教化衆生。我們現在也算是無佛出世，佛已經涅槃，只剩所留下的法，可是我們不明瞭這個法的眞實義，這是第一種。

其次是不瞭解這個法眞眞假假，虛虛實實，我是這樣的看法。顯教、密教、四教、五教、淨土、賢首種種的法義，我們沒有智慧能把它們弄清楚。這就說明了現在確實是五濁惡世。佛在世的時候，有好多法義，如果我們一聞法就能夠開悟，就能證眞，就能消除煩惱！像我們雖然聽了好多部經，學了好多部經，不過不能斷惑，不能證得法眼淨。

多數人看問題不是落於斷，就是落於常。思想的心，不是想常，就是想斷，很少契合中道義，這就證明我們的善根淺薄。這部經學完了，要行。這個佛輪的方法教導我們修法，怎麼樣修？要眞正的去做。不過現在我們學的都是學得不耐心，我這樣說大家別生氣。把學法擺到第二位就是很好的道友了，擺到第三位的也還不錯。我說這個包括了比丘、比丘尼在內。他眞正的是了生死心切的，知道這個世界是無常的；認識了這個世界是苦的，他就不會這樣的對待法。現在我們怎麼對待法，自己心裡有數。爲什麼會這樣子？這是我們過去的宿業智慧眼被無明遮蓋了，這是當前我們現在的處境。爲什麼這麼沒有智慧？爲什麼在現實的生活當中，這樣放任？我們還是貪戀，其實我們都知道佛告訴我們很多好方法對治，爲什麼我們不去做？這就是地藏菩薩在這個世界上辛苦、劬勞的原因。

所以釋迦牟尼佛就說地藏菩薩，像你所問的這些問題，你已經問過好多佛了，像恒河沙那樣多的佛，你都問過這個道理。你已經爲你所問的道理付出很多的辛苦，已經付出很多代價。對你個人來說，你已經通達了，已經諸行圓滿，到了彼岸，已經得了善巧方便的妙智，能給衆生示現種種的方便，想一切方法引誘衆生相信，引誘衆生進入。完了，使他們成熟不再造罪了。

你今天向我請問也是這個目的，令一切衆生得到利益，得到安樂，也是令一切的菩薩摩訶薩具足方便善巧去度衆生的，因爲並不是每位菩薩都具足善巧方便，那些大菩薩摩訶薩學法的時候，開了悟，證了道，可是利益衆生的方法並不簡單，因爲衆生的種類太多了，衆生的業障，必須運用極善巧的方便，依照聖者所行的，不過這對地藏菩薩已經具足了。你那個寶藏裡頭所伏藏的，就是布施、持戒、忍辱、禪定、智慧六種波羅蜜，慈悲喜捨，四無量心，以此成熟一切有情。

「一切智智功德大海速圓滿故」，一切智智，一切智慧者之中的大智慧，這是指佛說的。「爲轉一切剎帝利王諸暴惡行」，現在的剎帝利王暴惡行，在末世時是具足的。舉凡擔任首領的，我們就把他當成剎帝利王。他所執行的政策，大多數就是造業。對於地藏菩薩的請問，佛就跟地藏菩薩說，你應該轉變這一個惡王，不要讓他再作暴行，免得墮落到三惡道。

同時，還爲了能夠攝入三寶的種性，佛法僧三寶的威德能夠長久興盛，長住在這個世間。所以，你問如來這些法義，問得很好，很重要！要怎樣才能夠使衆生脫離痛苦，使五濁惡世末法時代的衆生不墮落三塗。你問的很好，但是要諦聽！諦聽！我向你說，你要如理的聽，如實的聽。

佛對每位請法者，都使用「諦聽諦聽」的句子。地藏菩薩不如理嗎？那是佛陀教導我們的方式。在聽法的時候，一定要諦聽諦聽，如理是不可能的，至少不要三心二意的。現在聽的時候，集中心力去聽才能入。如果不集中心力，你不能入，就是這個意思。這是大菩薩請法、佛說法，都是給我們作示範的。聽完了，你還要善思念之，還要好好的觀想。「吾當爲汝分別解說」，我現在一樣一樣的分別給你說清楚。地藏菩薩馬上就答覆說：「唯然世尊！」是的，佛，我願樂欲聞，我很喜歡聽佛說法。這是儀式，一請一答。不過還沒有達到正題，這是請法的方式，許可說的方式。

「爾時佛告地藏菩薩摩訶薩，善男子，如來由本願力，成就十種佛輪，居此佛土，五濁惡世，一切有情退沒一切白淨善法，匱乏所有七聖財寶，遠離一切聰敏智者，斷常羅網之所覆蔽。常好乘馭諸惡趣車，於後世苦不見怖畏，常處遍重無明黑闇，具足十種不善業道，造五無間，誹謗正法，毀呰賢聖，離諸善法，具諸惡法。我住如是雜惡土中，得安隱住，得無驚恐，得無所畏。自稱我處大仙尊位，轉於佛輪，降諸天魔外道邪論，摧滅一切諸眾生類，猶如金剛堅固煩惱，隨其所樂，安置一切有力眾生，令住三乘不退轉位。」

佛就對他說，因為我過去發願，佛佛各人發的願不同，所以各個佛所示現的方便善巧、攝受眾生也不同。阿彌陀佛發四十八願，要建立極樂世界，用極樂世界攝受眾生。藥師琉璃光如來就建立琉璃光世界，醫治眾生的病，來攝受眾生。釋迦牟尼佛發的願，就專在這個五濁惡世，而且是在人壽命百歲，在人賢劫千佛當中。大家看一看，釋迦牟尼佛壽命是最短的，才一百歲，他的前一尊佛，迦葉佛，壽命都一萬歲。現在我們說的七佛，只說是現在的人賢劫的四尊佛就有四萬歲、三萬歲、兩萬歲、一萬歲，而釋迦牟尼佛才一百歲。千佛住世的時候，釋迦牟尼佛的壽命是最短的。他也沒有活到一百歲，八十歲就走了，緣就盡了，這是本身願力的緣故。

但是因為有十種佛輪，所以在這個佛國土，娑婆世界五濁惡世裡頭，我雖然看見他們，退沒了一切白淨的善法。白淨法沒有了，他怎麼會去持戒，怎麼會去信？不信，怎樣能持戒？怎麼能有定慧？不可能。他會行布施嗎？凡是能作者，具足七聖財的衆生，例如諸位道友們，在座的好多人受過三歸，受過五戒，你具足戒財，具足歸依三寶，好多人都作供養作布施，你已經作了布施財。那麼這都是具足的，這算是聽明智慧者，能夠聞經聽法。

這裡所說的是指匱乏七聖財寶的衆生。同一個時間內，好多人都作什麼呢？我們可以想到吧？你的六親眷屬去幹什麼？你來這兒聽經，這是很鮮明的對比，不需要再去說了。聽明智者，什麼叫智者？就是你會選擇。有智慧的人會選擇應當走什麼道，他一天應當幹什麼事情，他會選擇；沒有智慧的人，他所選擇的不同，他選擇的是乘惡趣車，趣向惡趣。我們是三乘車，趣向三乘道。這完全不同，我們就沒有後世苦。為什麼呢？歸依佛，歸依法，歸依僧，持清淨戒，布施，忍辱。那就減少好多的禍害。

我們是怖畏後世苦。所以，今生要修，要聞法。我們是注重光明，要破除黑暗，不作十種不善的業道，行的是十善業道。我們信佛的弟子，成就業道的，我很少聽見佛弟子破口大罵別人的。有人說：「老和尚，是你沒聽見！」我聽過不少，那是事實，不過還是少數的。佛弟子在罵人的時候，他有顧慮的，惡口，他心裡要想一想。佛弟子也有欺詐的，他也要懺悔一下。在這個時候，這樣作不對。如果不是佛弟子，他連不對的意思都沒有。報復的時候，我要你先受點苦再說。他是這種心理，這種心態。所以後世的惡趣車，他們就坐上去了。

凡是不怕後世苦的人，他就去乘那個惡趣車，就落到惡趣道中。畏後世苦的衆生，他就不會。我們雖然也處在黑暗當中，但是念佛、念法、念僧，乃至於念一句觀世音菩薩聖號，念一句地藏菩薩聖號，這一念就是光明的。你念一聲，這一聲就光明，你聲聲念，就聲聲的光明。你就能夠逐漸衝破重重的障礙與黑闇，這就是有智慧者。有智慧者，就能夠遠離十不善業道，他要行十善業道。說到五無間罪、誹謗正法、毀呰賢聖，大家要注意，信佛的人，你不要謗毀，反正佛所說的法，你信這法，卻去謗那法，這都是滅法。

如果我是講經、誦經，我說念佛的不好，我就是謗念佛的，這就是謗法。我是念佛的，說誦經的講經的不對，這也是謗法。我講這部經，說那部經不對，這都叫謗法。我跟那部經沒有緣，更應供養禮拜，要求結緣，應當具足一切法義，都應當懂，不應當毀謗正法，這個要特別注意。

現在我們的道友當中，簡直是不知道謗法的後果，信口開河。甚至我是這間廟的弟子，他是那間廟的弟子，可能還會彼此打仗，這確實是有的。寺廟跟寺廟都會打，何況在家道友呢？但是你要知道，這是毀謗正法。毀謗正法，罪業很大。在僧眾之間挑撥離間，或者對這個廟說那個廟，對那個廟說這個廟，這可就危險了。這是五逆罪，五無間，破和合僧眾。所以對於一切的聖人賢人、一切的住持，我們不要隨便的批評。因為我們沒有達到那個境界，如果我們這樣作，是向惡法道路走，不是向善法道路走。

面對這個罪過，我雖然懺悔了好多年，還是懺悔不淨。我年輕的時候也是這樣，我學五教，就說四教沒有五教好，先入為主。後來我又學四教，感覺四教跟五教都差不多，我也沒入進去。當我學念佛的時候，我以為念我一句阿彌陀佛就夠了，我也是這樣學的。如果是只念一句阿彌陀佛，以後三藏十二部經都斷了，誰還去學？斷法！滅法種！我不敢再說了。

那是過去的罪業，造的很多，我個人知道懺悔，那是我的經驗，介紹給大家。所以，毀謗正法看起來是很淺，「我沒有謗過法！」其實，你謗的次數不少，這個師父好，那個師父不好。哪個師父都好，只要他披上架裟，他是佛弟子，我都讚嘆他，把他當賢人看，當聖人看。至於他個人的因果，他自己會承擔的，跟我毫無關係，我不會替他背因果。

這部《十輪經》是專講這種情形，我的弟子不論破戒犯戒到什麼程度，都不許國王制裁，這是佛說的。如果他制裁，這個刹帝利王是惡王，因爲會毀滅三寶。他就算壞，有一片架裟，還不是整體的，就是一片架裟，鬼神見著也能得到利益。人不信，鬼神信的。因爲他受苦的，鬼神有通，也知道利害關係。人糊塗，不知道利害關係，信口開河。大家要特別注意，特別是對寺廟、僧衆、三寶弟子，乃至於我們道友互相之間，僧讚僧，佛法興，就是這個涵義。

佛弟子總是維護釋迦牟尼佛，維護一切衆生的，讓未來的衆生不受痛苦，一定要這樣作。我過去不知道，作過很多錯事，現在知道了，以後不再作。可是以前作錯的怎麼辦呢？對佛菩薩懺悔，對地藏菩薩懺悔就好了。因爲這部《十輪經》，是專講懺悔的。拜懺的涵義，就是要洗刷我們過去的罪過。我們穿衣服髒了要洗，洗了，就乾淨了，懺悔的意思就是這樣。過去我作錯事，我改了就是，我再不作。你懺悔，你過去的罪業就輕了。懂得懺悔法，你就有辦法，你有了慚愧心，就是你的財寶。

我剛才講慚愧，慚愧就是財寶，總是跟人比，比不上人家，人家有功德，我沒有功德。人家有財富，我沒有財富。人家爲什麼有財富？前生修的福德，我不嫉妒，我都隨喜。只要是人家的功德都隨喜，你的罪惡就懺悔了，慚愧是種財寶。一切諸佛之所以能夠成道，他過去初發心的時候，就有慚愧心。釋迦牟尼佛說，我住在這個雜惡的國土中，住的很安穩，沒有恐怖，也無所畏懼。我自己認爲，我是世尊，我是大仙，因爲我在轉佛輪，轉這個佛輪，就是要對治惡輪，就是要降伏那些天魔外道的邪論，摧滅一切衆生的煩惱。

衆生的煩惱，剛強難調難伏，像金剛堅固的那麼樣煩惱，我能摧伏。對這類衆生，我也能使他得到安樂。

但是，其中有善類的衆生，我就讓他們住三乘不退轉位。聲聞、緣覺、菩薩乘，三乘。還沒有說佛輪，這樣是總說的，我在這個住著，無所畏懼來度衆生，這是由我過去世願力的緣故。我發願到這個地方度衆生，壽命非常短速，身量非常矮小。時候這麼不好，這個時候的衆生是在五濁惡世當中。佛在世時是正法，正法也好不了許多，爲什麼？他處在五濁惡世！

不過，還是比我們現在好一些。我們現在是無佛世，當然更不好。但是釋迦牟尼佛生的是五濁惡世，他是在五濁惡世度衆生，那是釋迦牟尼佛的報身。釋迦牟尼佛的清淨法身，就不是這樣子。這是幻化的，不是實在的。一切諸法，如夢幻泡影，應當如是見。這叫正知正見。以下就舉例說明，先說國土，後說佛輪。

「善男子，譬如有國，時虛君位，其中所有一切人民，自軍他軍，更相侵害，憂愁擾亂，人衆不安，有無量種鬥訟違諍，互相欺陵，諂言妄語，麤惡乖離，誣調矯亂，種種疾病，盲翳昏闇，寒熱瘧疾，溫氣疫癘，癲癇乾枯，飲食不消，其心狂亂，諸根不具，肢體缺減，乏少種種衣食資具，一切所有皆不可樂。諸有情類，歸依種種外道邪神，惡見惡心，及惡意樂，皆悉熾盛，迷失正道，臨墮惡趣。」

這完全是形容詞。這些我們都懂，身歷其境，我們現在處的就是這個情況。現在這個世界是末法時期，南瞻部洲，也就是現在這個地球上，一百八十多個國家，有哪個國家好一點？都是比較而言的。「時虛君位」，這是按印度習慣說的。現在這個國家很亂，國家的皇帝沒有辦法掌權，君位是虛的，這樣就更亂了，這個國家的所有人民，互相爭奪。「自軍他軍」，佛還是按著國界說的。至於我的經驗，就不是這樣子的。我生在東北，那個時候土匪很厲害。我小時候，是東三省，各省有各省的督軍，那時候叫督軍，後來才改成省主席。這省跟那省打，那省跟這省打。

那個時候大家爭著選總統。我在北京時，就出家了，之後，我看見一副對聯，北洋軍閥的時候，在北京叫就北總統，孫中山先生在南京叫南總統。南京叫南京政府，北京叫北京政府。那幅對聯是說，「南政府北政府，政府何分南北！」什麼南北的，總而言之，統而言之，總統不是東西。這是一個國家，不是好多國家。後來我到了四川，我協助整理材料，才知道四川的混亂程度。

我們大家都知道，西藏是達賴喇嘛統治的，達賴喇嘛統治的地區也是有限的。這個部族跟那個部族各有各的頭人，他們不叫酋長，而是國王的意思。這麼一個部落，有這麼一兩百戶人家，就自稱酋長，那是天高皇帝遠。「山上無老虎，猴子稱大王」，就是這個意思。這些地方我都親自走過的。離這一兩百哩地，從這個部落到那個部落，這兩個部落是不通的，如果你蹚到這個部落正在打仗，你要是走到這個部落，要躲開，早點走開。這個時候亂到「自軍他軍」，就像現在講的黑幫白幫。什麼是黑幫呢？我這個幫跟你那個幫，我看香港電視上演的，香港很多這個幫跟那個幫打鬥，「自軍他軍」，都有一幫子人，這叫互相侵害。

要是生到這個時代的人，不論哪一個國家，沒有憂愁的？這個國家不擾亂的？美國很強大？前幾天甘乃迪機場就被炸了。而且炸的時候，許多貿易大樓也被炸到。還有風災、水災、火災，你說沒有憂愁的，沒有擾亂的，哪個地方是乾淨土呀？有一片乾淨土，大家不曉得找到沒找到？你自己的心！你把它清淨下來，最乾淨！信嗎？好好的觀一觀，你定下來看一看，打坐半個鐘頭，別不相信，要相信，你清淨那麼一下子，你安那麼一會兒都可以。人總是不安啊！

現在我每天大概都會接到台灣道友的電話，一通是最少的，有時候是兩通。詳細內容，我們不介紹。反正就是不安，人都不安，哪個地方安呢？沒有，你放下！放下，就安了！你放不下，隨時都不安。現在我們有這麼一個固定的時間，就是現在這一個半鐘頭還安吧！有這一個半鐘頭，我們就是很幸福。安定一個半鐘頭就一個半鐘頭安定，安定兩個鐘頭就兩個鐘頭安定。你想要求永久的安定，你必須得成道！要是不成道，你沒法安定，就算生了天，天也不安定。往往是修羅跟忉利天打，人間才動亂。天上先亂，人間後亂。梵天會好一點，再往上會更好一點，不過福報盡了，還是會墮下來，沒有好地方。

只要你心安了，依照佛的十輪，釋迦牟尼佛在這個地方住的非常安定，我們就學他。釋迦牟尼佛說，有無量種的鬥訟違諍，眞是無量呀！各個國家的法律不一樣，到了現在，海洋公約已經沒有作用了。各個國家的法律不一樣，每一個國家，法院的案件都非常多，什麼樣的鬥爭、鬥訟都有，相違的事情太多了，一天都在鬥爭當中。「互相欺陵」，現在互相欺陵到什麼程度呢？連每個人的家庭，夫妻、父子、母女，都互相的欺陵。我是親身經驗過的，不是胡亂說的。

大陸的文化大革命，就把像這麼大的房子，不曉得劃成多少塊。各燒各的灶，你加入這個派，他加入那個派，就是這樣。現在想起來，什麼地方又能夠清淨呢？人跟人，就是這樣子。你要是有權有勢有錢，盡是諂昧你的話，恭維你的話，耳朵塞滿了，是不是這樣？現在弄得人人不敢相信，他說的是眞的嗎？對誰說話都要打個問號！你的女兒跟你說話的時候，你認爲這傢伙說的是眞的假的？這個孩子又來騙我吧！你都會打個問號。你是誰？你自己對自己有時候也打問號，哪有什麼是眞實的。現在整個世界的次序乖離了，沒有什麼次序的，夫婦、父子，整個的國家是這樣子，要想不亂，是不可能。在這種情況之下，怎麼能夠不亂？要依佛的教導受三皈依，聽聽佛經。

除此之外，還有病！現在有些病，在佛經上並沒有出現，那時候還沒有這些病。在佛經上沒有癌症，只有乾消，乾枯，飲食不消，或者眼睛不好，四肢缺，打擺子，發瘧疾，寒熱，瘟疫，就是最惡的病。有愛滋病嗎？沒有吧！有各種癌症嗎？沒有。這是後來才聽到的，以前並不知道，各種的病患，太多了。如果不是親歷其境，聽人說，我也不會相信的。但是我親自看到了，不能不相信，眼見爲實。

我到榮總醫院、長庚醫院看見植物人，我才相信，我所看見的還少，植物人的數量，恐怕比我看的還多。我只看到這麼兩個醫院的。台灣有，大陸有沒有？美國有沒有？恐怕都很多。這種植物人，就像《地藏經》講的，死也死不得，活也活不了。這種痛苦是沒辦法說的。在《地藏經》上說，他在陰間，正在過堂審問的，案情沒定，所以，他死也死不了，活也活不了。換句話說，就是讓他受罪。活受罪！他受罪還可以，要是你家裡出了植物人，自己的親人沒死，怎麼忍心不管他呢？有好多植物人就這樣拖垮他的家人。為了這麼一個人，要陪著他，不能上班，總得留一個人當班照顧他。這不叫業嗎？

還有「其心狂亂」的。現在瘋子多呀！如果沒有聽到的，不會了解。那瘋人院，瘋子多。我妹妹就在瘋人院當過醫生，現在退休了。她說瘋子眞多，過去是電療，電療完了，這個人就算是恢復了，不瘋了，也會變成呆子。什麼都不懂了，神經也就壞了。後來才改成針灸治療，一發病的時候給他打一針。打針，他就停歇了，不瘋了。等將來瘋病好的時候，還能有精神記憶力，還可以認得六親眷屬。如果瘋了，就算治好了，連自己六親眷屬父母都認不得了，你說這樣子活著有什麼意思呢？

還有諸根不全的，缺肢膀少胳膊的。還有，當前這個世界這麼進步，還有很多的地區，沒有衣服穿的，沒有糧食的。我們在電視上都看到了，那些一直在戰爭的地區，糧食都不生產，糧食很少。我走過一個邊區，邊區的糧食很少，特別是西藏有三十九個民族。這些民族，糧食很少，他們種了，地下也不生長。就以牛羊肉爲他們的主食。就是他們衣服穿的，大衆眞是不敢想像的。我到那兒生活過，我才知道。他就只有一件皮襖，幾張羊皮連到一起，作的時候很費功夫。這羊皮，他拿酥油抹一抹，一件羊皮襖就成了。冬天時候羊毛朝裡，夏天時候羊毛朝外，皮襖不論春夏秋冬就是這麼一件，四季常如舊。夏天的時候，因爲他抹的油很多，夏天穿到裡頭涼快涼快的。冬天這毛穿在身上又是熱的，就是這麼一件皮襖。他的皮襖可不像我們作的衣服這麼小，而是非常的大，他的腦殼要到頂上，腳要可以搭進去。爲什麼作這麼大？他在腰上，繫了一個袋子，糌粑、口袋、酥油袋，都裝到這裡頭，他一走起來前頭一大堆，他的東西都放在這個裡頭。到了晚上，他把這東西拿了往旁邊一擺，那皮襖這麼一登就是一條被子，他就這麼一件衣服。

像這樣的生活確實是很苦，特別是姜塘，西藏的北部，青海、雲南的邊疆，西藏的邊疆跟四川的邊疆，這些地區的人非常辛苦，生活也不安定，也沒有文化，頭腦非常簡單，互相的搶奪，互相的殺戮。只有一件事他記得，打冤家。你是我的冤家，那我非跟你拼不可，不是打一代兩代，一打打好多代。到了這個地區，你才知道人類的苦難。那眞是到不可思議的地方。還說什麼衣食資具，一切所有的都不是可樂的，「一切所有皆不可樂」。

這些有情類，遇不到佛法。像我們穿喇嘛衣服，他質疑，他不認得你是喇嘛！這些邊區並不認識喇嘛，可是他有一種邪神叫作烏神。他歸依是烏神。他的見解非常惡，心裡也是惡的。所以你要是走到那個縣裡頭，經過那個地方山邊上的人，他見著人，不論見到什麼，馬上就摸他的刀把子，準備跟你戰鬥。如果你不是傷害他的，那就過去了。不然，他就要準備跟你鬥，我取這個來證明「惡心」。他也有快樂，不過是惡意的快樂。他的內心充滿瞋恨、忌妒、障礙、懷疑，早迷失正道了。邪見的、惡見的，惡心熾盛得不得了。所以，他迷失了正道。這樣有什麼辦法呢？生前如是，死後只有墮惡趣。又淪落三惡道，等從三惡道出來，又生到那個邊疆。這種輪迴，什麼時候能止息呀？

這都是地藏菩薩、觀世音菩薩最慈悲最關心的地方，他看見衆生這樣子。我們沒有菩薩那些智慧，我們的心，雖然也慈悲，也憐憫，但是還有情愛，那是屬於愛見大悲，他跟我有點因緣，我才幹。像我到了這些地區，我說這些人還不如牛馬，牛馬，你調順好，它會有點善心，狗，你養得好，牠跟你擺擺尾巴。這些人不會的，你會對他們生起厭離感，不會生起大慈大悲心，來救度他們。我那個時候也沒有，只有厭離感，你要他什麼時候能夠轉變，善業發現，還能遇見佛法，那就難了。那不曉得要經過多少世代。這是不好的現象，反過來就是好的現象。事物都有兩方面，相對法，說完壞的，就說好的，好的才接近佛輪。佛度衆生也是這樣子，因爲要在惡輪上建立佛輪，很不容易！

「時彼國中，有諸耆舊，聽明多智，博學平恕，威嚴整肅，相與謀議運諸籌策。即便召集國邑人民，共所薦推，取一王子，先具多種布施調伏，寂靜尸羅，精進勇猛，難行苦行，一切備滿，具諸殊勝福德之相，諸根圓滿，肢體無缺，身形長大，相好端嚴，成就最勝美妙容色，常為一切尊重恭敬，率土人民無不親愛。稟性淳質，常懷慈悲，博學多才，備諸伎藝，柔和忍辱，莊嚴其心。是大后妃所生嫡子，以諸妙香，熏清淨水，調和冷暖，沐浴其身，著於種種上妙香熏眾寶莊嚴鮮淨衣服，末尼珠寶置在髻中，金寶華鬘冠飾其首，素練輕繒束於髮際。」

這跟前面是對比的。這個國家沒有國王，國家很混亂。正見很少，邪見很多。在這個時候，這個國土當中有過去的賢達者，耆者就是過去的長老，有智慧的人，學問很好的，很平和，寬恕待人的。見到國家有這種情況，就相與謀議，想種種辦法。「籌」是籌劃，「策」是策動的意思。現在國家這樣子，大家共同商議，要有個辦法。由這些耆舊共同的召集這個國家的人民，「國邑人民」。大家推薦，由先王兒子當中取一王子，也就是互相的選一下。這個王子必須能夠調伏自己，能夠施捨，能夠持戒，遵守這個世間法。尸羅，就是戒律，包括了寂靜、慈悲、防護、止惡。「寂靜尸羅」，就是這個意義。

要找這樣一個王子，又能夠慈心的布施，調伏自己的性情，能夠遵守法律的制度，還要精進勇猛。精進勇猛是對於善業而言的，能作人家所作不到的苦行。這些都具備了，還得有殊勝的福德相。相貌長的不太醜，作國王的人太醜了也不成。眼、耳、鼻、舌、身、意，諸根都圓滿，四肢身體沒有缺陷，身形不能太矮小。身形要長大，還要具足相好端嚴。成就了這些莊嚴美妙的容色，常爲一切人所尊重恭敬。這個國家所有的人民，對他都表示親愛。

「稟性淳質，常懷慈悲，博學多才，備諸伎藝。」這就是他的性情，淳厚質樸，常懷有利濟人家之心，不損惱任何人，學問很好，還有各種的伎藝。「柔和忍辱，莊嚴其心。」柔和，是不粗暴的意思，忍辱就是非理相加了，他也不跟人家計較。「是大后妃所生嫡子」，要是選偏妃所生的，不是嫡子，就差一點兒。所以選太子，都選大妃所生的，也就是原配的夫人。有這樣的太子，選上了之後，用香水把他熏清淨，不冷不熱，冷暖調和。沐浴這個王子的身體，給他穿的衣服都是用妙香熏的，有珠寶莊嚴的鮮淨衣服。

「末尼珠寶，置在髻中」，這些我都見過，西藏人就是這樣子。凡是四品以上的官吏，他們是不剪髮的，頭髮裡戴個小佛龕，不過，沒有末尼寶珠，他們裝一尊佛像，飾在頭髮上。所以，你跟西藏人交朋友，不能隨便拍人家的腦殼，他的腦殼只有在灌頂的時候，達賴喇嘛還可以拍一拍，他的師父拍還可以，一般人是不能拍他的腦殼，要懂得禮儀。

那個國王把末尼寶珠裝在髻中，過去都是卷髮的，這是形容詞。用金寶裝飾的，最美的髮冠，來裝飾他的頭。這些東西，「素練輕繒束於髮際」，他的頭髮要捲起來修個佛龕。我看見西藏人，他是用兩個，就像我們小孩兒的雙髻那樣子的，中間擱上一個佛龕，佛龕裡有尊佛像，也有拴寶石的，把寶石鑲到佛龕外頭。一般人都是鑲觀世音佛像的比較多。

「又以種種末尼眞珠金銀等寶，共所合成珥璫，瓔珞環玔印等。衆妙寶飾莊嚴其身，織成寶履下承其足，衆寶傘蓋上覆其頂，安置古昔一切天仙所護持座，趣入一切天帝同許共所護持善巧營構殊妙大殿，登自先王所昇尊座。」

我們知道西藏的男人都戴耳環，但不是在耳朵上札個眼，他是掛在耳朵上，他所戴的耳環都很大的。有品位的，一看他的耳環就知道他是幾品官。四品以上才許可戴，四品以下不行。耳環也分等級的，是綠寶石，還是紅寶石。還有，他頭上戴的頂子也有關係。還有，他騎的馬，馬頂上要是安金頂的，你一定要讓路，這是三品以上的大員，這是大活佛。我舉這些例子是形容古來國王的威儀。還有馬底下，馬腦殼底下、脖子底下，拴一個紅鬃，那麼胸部鑲一個紅鬃，拴兩個是四品，拴三個是三品以上的。

還有，那個鞍子都是分等級的。所以瓔珞、戴的耳環都是珠寶所合成的，國王的莊嚴更不同了。像達賴喇嘛騎的馬，或者他坐的轎子，渾身都是珠寶，馬鞍子上都是珠寶鑲綴的。

這是形容古來過去這個國王陞王座或出巡的情形，因爲經典都是按印度當時的情況描寫的，跟現在的情況不同，現在是沒有了。講這個是作比喻。初陞座的時候，未登王位，把他選出來就這樣給他裝飾起來。過去古賢的仙人所護持的寶座，讓他坐到這個座上，大家禮拜請他。「趣入一切天帝同許共所護持善巧營構殊妙大殿」，這是形容詞，說那個殿堂，修的很好。你到台灣也好，到大陸也好，就是在溫哥華，殿堂都是不錯的。凡是塑的佛像，乃至佛所坐的，都是寶座。這位將來的大王，還沒有陞座以前，坐的那個座是一切仙人所護持的寶座，這都是傳說。

「紹王位已，扣擊一切天帝、龍帝、藥叉神帝、阿素洛帝、鳩畔茶帝，各所護持廣大鐘鼓，其聲振響，周遍國界，剎帝利等四大種姓無量人眾，沐浴其身著淨衣服，執持種種妙寶繒綵傘蓋幢旛，末尼眞珠金銀螺貝壁玉珊瑚吠琉璃等，生色可染無量珍奇，奉獻新王，以呈嘉瑞。貴族淨行博學多才諸婆羅門，以無量種微妙讚頌歌詠帝德種種善事呪願於王，以諸吉祥散灑王頂。」

還有設計巧妙的裝飾，營造這樣一個大殿。登先王所陞的尊座，要登王位，等他紹隆王位之後，「叩擊一切天帝、龍帝、藥叉神帝、阿素洛帝、鳩畔茶帝，各所護持廣大鐘鼓」，這是形容詞，說天龍八部所護持的鐘鼓。過去滿清的皇帝，每天早朝的時候都是鐘鼓齊鳴。和尙廟裡，上早晚殿都要鐘鼓齊鳴。迎接一位大德，都要鐘鼓齊鳴，全體的寺院僧衆都要穿袍搭衣迎接。這是形容尊貴的意思。其實這是八部鬼神衆龍天護法，所以我們經常形容皇帝是百靈相護，這是他的福報所感的。到了那個時候鐘鼓齊鳴，使這個國界都能夠知道。這個時候婆羅門、剎帝利、吠陀、戍陀羅，這是印度古來有四大種姓，四大種姓有無量的人衆，同時每個人都要沐浴更衣，所穿的乾淨衣服，也是用種種的寶所合成的。

傘蓋、幢旛，這些都是形容詞，金銀螺貝璧玉珊瑚、吠琉璃，「生色可染」就是金人，生色，就是天生的色，他的顏色是生成的，就是黃的、白的。無量珍奇的寶物，都奉獻給這位新陞王位的王。「以呈嘉瑞」，這個時候貴族剎帝利，博學多才的婆羅門，以無量的種種微妙讚頌，歌詠帝德種種善事，「咒願於王」。我們前面看地藏菩薩讚歎佛的功德，佛又讚歎地藏菩薩的功德，這是各種讚頌的意思。「以諸吉祥散灑王頂」，把這些珠寶都加上這咒，咒祝他，咒祝就是說吉祥的言詞，說吉祥幸福這類的詞句。

「先王所重宿望貴族，博學多藝，性直賢明，隨其所應，授以種種職位官僚，理諸王事，先於國境自軍他軍更相侵害，今皆令息。亦令一切怨敵惡友，能爲害者，皆悉殄滅，損除自國一切黑品，增益自國一切白品。善男子，刹帝利種灌頂大王，成就如是第一王輪，由此輪故，於自國土得安樂住，能伏一切怨敵惡友，善守護身，令增壽命。」

「先王所重，宿望貴族，博學多藝，性直賢明，隨其所應，授以種種職位官僚。」新王登位，要封些官職，過去的那些貴族、王官，或者才學出衆，或者處理事情公正賢明的人，那就各隨職守。「隨其所應，授以種種職位官僚。」給他們官職，協助處理王事。新王登基，要有一個新的氣象，把過去國家的災害扭轉過來。「先於國境自軍他軍更相侵害，今皆令息。」過去這個國家混亂的局面，互相戰鬥的局面，或者自己的軍隊，他國的軍隊侵害，或者各霸一方的王侯，互相侵害，現在都息滅了，因爲新王登基有一種新氣象。「亦令一切怨敵惡友，能爲害者，皆悉殄滅。」都消滅掉，損除自國的一切黑品，去除不善業，增益自國的一切白品，增加善業。消滅十惡，廣行十善。

「善男子，剎帝利種灌頂大王，成就如是第一王輪。」這是國王的第一王輪，這完全是比方，來顯佛的第一輪。以下就說佛輪。「由此輪故，於自國土得安樂住」，這個國家的人民都是平安幸福的，消除掉怨敵惡友。那麼這個國王的人民壽命也增長，得到國王的護持。這是第一王輪。

「善男子，如是雜染五濁惡世，索訶佛土，空無佛時。其中所有一切眾生，爲自心中隨眠纏垢，自軍他軍惱害侵逼，愁憂擾亂，愚冥不安，起無量種執著斷常，鬥訟違諍，互相輕蔑，起貪瞋癡諂誑言等，具足十種不善業道。執著有情紛擾世界，成就種種煩惱疾病，闕正法眼，忿恨嬈惱，常不思惟眞實正法，棄正法味，譏毀善行，乏少所受憙樂滋味，常爲種種煩惱羅網之所覆蔽。歸依六種外道邪師，迷失聖道，向三惡趣。」

這是形容佛利益眾生，因此先說眾生的相。這個國土是什麼樣子呢？像雜染的五濁惡世。「索訶」就是娑婆國土，這個國土在空無佛時，前佛已經入滅，後佛還未降生。這個時候，釋迦牟尼佛入滅了，彌勒佛還沒有下生，這就是空無佛的時候。這個娑婆世界，包括很多國土。自心的隨眠，隨眠就是根本煩惱。隨他心，隨他心而起。纏垢，纏覆不清，垢是不淨。

自軍就是自己內心的煩惱，他軍就是外面境界相的煩惱。內外加攻，惱害侵逼。衆生就生活在這種憂愁煩惱當中，社會的動盪不安，他的內心也跟著不安。再加上愚癡，冥頑不靈，腦子也不清醒又沒有智慧。冥是暗，常在黑暗中就是不明。心裡不安，不能得清淨。

同時，他生起了無量執著斷常等知見。斷常知見，總以爲自己有理，好起鬥爭，好起訴訟。訟是打官司，鬥諍解決不了問題，就打官司。或者互相仇殺，誰也看不起誰，自高自大，慢心特別強，這個我們一想就知道了，不需要說了。總感覺自己不錯，互相輕蔑，看不起別人。所生起的都是貪瞋癡，欺誑諂媚。說出的話都是諂媚的言詞。對下驕慢，找不到眞實言語，不說實話。總的說，具足十種不善業道，妄言、綺言、惡口、兩舌是口業，殺盜淫是身業，貪瞋癡是意業。

那麼，這個娑婆世界，這些執著的衆生，在這世界上成就了種種的煩惱疾病。病由心生，我們的病苦很多，什麼病呢？煩惱病。一般世間的病可以找醫生治，煩惱病得自己醫。看問題沒有正法眼，也就是看不清。所行的都是邪，邪者就是不正的意思。忿恨嬈惱，是擾亂不安的意思，從來沒有想過正法。常不思惟眞實的正法，什麼叫正法呢？像不貪、不瞋、不癡、不妄言、綺語、惡口、兩舌，不殺盜淫，就是正語正見、正命、正思惟。這就是正法。

因爲他不是思惟正法，對於正法的好處，生不起法喜，拿口味比喻，就像味道，得不到法味他生不起法喜。如何是得到法喜的象徵呢？如果你靜坐的時候能得到輕安，定下來，你感覺到一切紛擾全息了，心中的愁慮及思想，一切雜念全不生起了，就得到輕安了，你就能有這種歡喜。你讀誦大乘經典的時候，感覺心裡非常歡喜，非常愉快，這就是得到法喜。

還有，看經的時候，看到這段經文，感覺對自己很有用處，心裡生起法喜，感覺自己的毛病很多，加以改正，這都算是受了法喜的滋味。如果反過來，不是這樣子，不思惟眞實的正法，思惟的盡是邪道，怎麼叫思惟正法呢？我們舉個例來說，就像四念處，身、受、心、法，這四種叫四念處。觀身不淨，九孔常流，觀我們這個身體，現在我們這個肉體沒有一點乾淨的。兩個眼睛、兩個鼻孔、兩個耳朵、一個嘴巴，這七個大，再加上大小便就是九孔，九孔常流不淨，不乾淨的。乃至於我們身上出的汗，要是成天不洗，別人一聞就是臭的。毛孔排泄出來的汗，不是清淨的，你自己會感覺到煩惱。

若你經常聞到異香，你就超出煩惱之外了。如果有這些境界就是斷除種種的煩惱。就像魚網的網一樣，你的眞心被那個羅網覆蓋了，邪門外道都信，現在也多得很，學神通、學氣功，保養身體是一件好事。可是這身體，你是保養不住的，隨便你怎麼保養，出個車禍，什麼都沒有了，坐飛機也常常失事。你保養得住嗎？往往出乎你的意料，這是你所不能夠保養的，所以一定要產生正見。

正見是觀察這身體是不淨的，觀身不淨。觀受，是苦受，是領納爲義，是冷暖奢華，你接觸的，剛才說的灌頂，要調那個水，冷了不成，他驚了。

熱了，他太燙。要冷暖適度，那就很合適了。你要是聞法了，法喜充滿，就是對應到你的心，非常的相應，你就會生歡喜心，就是領納。受，要是太熱了，你會不舒服。要是挨打，受刑罰了，更不好過。如果生病了，那種病苦，不說別的，腦殼痛痛的，你都是流汗，肚子痛，痛的要命。儘管再好的醫生，有時候也不見得靈。業障發現了，再好都不行。這樣子就是你對於受，不論多快樂，你知道是苦。樂受是苦的因，最後還是苦。觀心無常，一天都是妄想紛飛。觀心無常，觀法無我，這就叫正道。

不如是觀，迷失正道。我們一天當中為這個身體，不曉得動了多少腦筋，要穿什麼樣的衣服，要吃什麼樣的飯，要怎麼樣過得舒服，身體接觸受的時候，要怎麼樣享受，心裡儘在打主意，數數妄想。一時安定不了，像猴子似的，也就是心如猿猴。這叫四念處。這是學佛法的人最根本的正見，常時要這樣思念，這就是正道。如果不這樣想，迷失正道了，叫失念。

還有我們受了三歸依，師父跟你說，要二十四小時念佛、念法、念僧。如果你失念了，就迷失正道，走邪道。邪道是向什麼地方去呢？餓鬼、畜生，向三惡趣道，就是形容著這個娑婆世界；釋迦牟尼佛在這個娑婆世界，在沒有佛出世的時代，是什麼樣一個境界？就是這樣一個境界，正道正念很少了，邪知邪見太多了。特別是無佛時，特別興盛，這個我不需要多講了，大家都可以體會得到，現在就有很多。正道，他不大相信，對於邪道卻非常的信，信的很誠懇，爲什麼呢？過去的業跟現在所遇的境，那個業跟境兩個相合，聖道跟他過去的業不大相合。所以《金剛經》說，能夠聽到金剛般若波羅蜜這個名字，那不是一佛二佛三四五佛所種的善根，而是多生累劫經過多佛所種的善根，才能聽到金剛般若波羅蜜，乃至於聽了以後，能深信不疑。那也包括《十輪經》。

地藏法門除了《地藏經》，知道的人很多，《占察善惡業報經》、《十輪經》，就很少人聽到，可能連名字都沒有聽過。爲什麼呢？他跟地藏菩薩沒有這個因緣，連聽個名字的因緣都沒有。何況聽全部經的道理？就是這樣一個意思。「迷失聖道」，迷失正道，就趨向三惡趣。這就是形容著這個國土，沒有國王的時候，那國家是什麼樣子。後來有位英明的國王，國家馬上就變了。這是說佛的佛輪，如果沒佛出世的時候，衆生就苦了，迷失正道了，趨向三惡道。

「於此土中，有諸菩薩摩訶薩，已於過去親近供養無量諸佛，已入諸佛功德大海，已住諸佛本所行道，皆共集會，來至我所。同謂我言：汝於過去已修無量布施調伏寂靜尸羅精進勇猛，難行苦行一切備滿，是諸微妙福慧方便大慈悲等共所莊嚴大功德藏，是一切定總持安忍諸地功德圓滿大海，無諂無誑，身形長大，相好圓滿，忍辱柔和，端正殊妙。」

摩訶翻「大」，就是有大菩薩過去親近供養無量諸佛，已入於諸佛的功德大海，已住於諸佛的本所行道。這是說這些大菩薩，就像國土之耆舊，是一樣的意思，一樣的涵義。佛用那個比喻來說明，佛之所以成佛，是因諸大菩薩的勸請。「皆共集會，來至我所」，這個「我」字是釋迦牟尼佛對地藏菩薩說的，都到我這兒來。同時，大家就向我說，你過去已經修了無量的布施，調伏寂靜尸羅，精進勇猛，六度萬行，你都修得很好，已經成就了。「難行苦行，一切備滿」，難行能行。是諸微妙福慧方便，大慈悲等，共所莊嚴的大功德藏，已具足福德，就是這樣的涵義。

「是一切定總持安忍諸地功德圓滿大海」，「諸地」是指這十地，等妙二覺。「總持」就是前面所說的奢摩他妙楞伽定。「總持」，也稱三昧。所以，諸地的功德都具足了，圓滿成就了。「無諂無誑，身形長大」，三十二相八十種好，「相好圓滿」了，「忍辱柔和，端正殊妙」。

「不復依他修菩提道，一切智海已得圓滿，成就最勝美妙容色，能爲一切聲聞獨覺作大導師，亦能安慰一切生死怖畏衆生，與作親友，大慈悲等無量功德共所莊嚴，是羯洛迦、孫馱羯諾迦、牟尼迦葉波如來等父之眞子。」

「不復依他修菩提道」，已經究竟成就菩提，證了菩提果，不再依佛或者依師修菩提道，爲什麼呢？因爲一切智海，已經圓滿成就了，成就最勝美妙容色，也就是佛的莊嚴美妙容色。任何惡人，他看見佛，還是恭敬的，還是行禮。「能爲一切聲聞獨覺作大導師」，給二乘人，引入大乘，乃至於給一切衆生作導師。大導師，「亦能安慰一切生死怖畏衆生，與作親友」，在這生死當中有怖畏、有恐怖的；這些衆生，你能給他作親密的朋友，能示現的意思。

這是佛能示現一切類形。而四攝法當中，同事、利行、布施，給他們示行同類的慈悲。「大慈悲等無量功德共所莊嚴」，都能成就了，「是羯洛迦孫馱羯諾迦，牟尼迦葉波如來」，這是三尊，人賢劫，一共有千佛。過去成就的，已經有三尊佛了。釋迦牟尼佛就是第四尊佛。人賢劫還有九百九十六尊，彌勒佛就是第五尊佛。人賢劫就是這個住劫。就住劫當中二十小劫裡頭，有千佛出世。

現在，地藏菩薩發這個願，在《地藏經》也如是，《占察經》也如是，《十輪經》也如是，只要他在末法當中，對佛法有一塵一沙一諦那麼一點的功德，地藏菩薩都把你度了，彌勒菩薩也發這個願。彌勒菩薩在龍華三會成佛的時候，他把釋迦牟尼佛末法所遺留的弟子，全部度脫，使他們超脫苦海。

但是我們自己要把這個因種得更深一點，種得更好一點，到了彌勒住世的時候就能得度，乃至於地藏菩薩也會把我們送往十方一切淨土。

隨便你希求那個淨土都可以，這裡所說的三尊佛，「羯洛迦」就是拘那含牟尼佛，「孫馱羯諾迦」就是拘留孫佛，「牟尼迦葉波」就是迦葉佛，也就是我們拜五十三佛當中，過去七佛後面的三佛，釋迦牟尼佛就是人賢劫的四佛。這是說釋迦牟尼佛，他已經是三如來的眞子，就像王子似的，也就是嫡子，是諸佛的嫡子，也就是佛子。

「於此賢劫當得作佛，一切菩薩摩訶薩中最爲上首，以諸功德種種妙香，熏奢摩他毗鉢舍那清淨之水而自沐浴，著慚愧衣，清淨法界爲髻中珠，冠飾諸佛所行境界廣大華鬘，束以解脫殊妙素練。」

「於此賢劫當得作佛」，在人賢劫當中，這個時候要成佛了，他是第四尊佛。「一切菩薩摩訶薩中最爲上首」，上首者就是寺廟的首座和尚，和尚就是佛，這是儲備的和尚。一旦和尚不在了，首座和尚就代表和尚，要是有什麼事要出門了，首座和尚就代理了。就像總統有副總統，總統要是臨時有事，副總統就代理了。這是所謂的上首。是諸佛的弟子之中最上首的。「以諸功德種種妙香，熏奢摩他毗鉢舍那清淨之水」，這個水不是世間的水，而是定慧，也就是說是止觀。「奢摩他」翻止，「毗鉢舍那」翻觀，止觀之水，就是定慧之水，以這個爲沐浴之水。

「著慚愧衣」，慚愧服，就是袈裟。袈裟有各種涵義，這個是說慚愧服，披上這件衣，常時慚愧。慚者是對上有德者，自己慚愧，自己欠缺功德。愧是愧對於下，我不能大慈大悲救度他。常時有這個心，以此爲衣服，以慚愧爲衣服。他的寶髻之中，髮冠當中，是清淨法界，清淨法界是無染無垢的、無相的，以這個爲他髻中的寶珠。「冠飾諸佛所行境界廣大華鬘」，不要把這個當成具體的形相，而是拿這個來形容諸佛的功德，這都是無相法的。「束以解脫殊妙素練」，解脫是證得了三解脫門，空無相，究竟的解脫，十八不共，四無所畏。這是解脫的相，就像國王梳髮，是一樣的意思。

「又以種種一切智智無生忍等功德珍寶而自莊嚴，慈悲喜捨以爲寶履，

能覆三界三種妙行圓滿聖因以爲傘蓋，安置古昔諸佛天仙共所護持金剛定座，趣入一切聲聞獨覺恭敬護持四種念住，坐先諸佛所敷之座，證得無上正等菩提一切智位。」

又以種種的一切智智無生忍等功德，一切的聲聞緣覺菩薩，成爲一切智。佛是一切智中的智慧者，所以叫一切智智。無生法忍，就是忍一切諸法無生，把忍字擱在上邊，忍可諸法無生，無生就是無滅，就是寂靜涅槃，有這個涵義。在佛教講的功德常是這樣講，我們應當體會一下子。功德是什麼呢？就是我們自己本具的，自信自己是佛，對我們來說，自信自己是佛，這個功德是本具的。但是一個是經過修正的，一個是本具有的，埋藏在於這個垢染，在這些纏縛當中，被無明所蓋覆了。佛已經究竟證得了，明顯了。我們現在對一切法，沒有這種認識，並不認爲是無生的。要是我們認爲一切法空，它就具足無漏性功德。無漏是什麼性質呢？再不漏落六趣，再不落於聲聞緣覺。

在佛教修行過程當中，依華嚴的判是五十二位。最初的十信，我們的信心，十信滿了，還未入位，只是十信位，十信是沒入位的，他會退的，今生信了，來生又退了。就這樣反反覆覆，不定的。非得到了住位的七住，才不退墮到聲聞緣覺。初住就不退入六趣，初住跟阿羅漢相等，在圓教，這叫位不退。要是行不退就更不容易，行不退得到地上的菩薩，達到八地，無功用行，不用什麼精進修行，他永遠如是。那叫不退。

如果我們都未到這些位子，信位還未滿，十信位是很不容易的。現在我們覺到前頭念頭不對，而且還要相續，明知道不對還要去作，你連信都沒有。初信位一聞到佛法，就毛骨聳然，就進入，知道這些是惡的，再不作了。知道自己想的不對，馬上就能止住。覺知前念起惡，止其後念不起者，入了信位。入了信位，有什麼境界相呢？他的功德只有往上增長，不會往下退墮。信佛、信法、信僧，絕對不動搖的，寧捨身命，絕不背棄其信仰，這就是入了信位。現在用這個信來檢查檢查我們個人，我們現在是不是有這樣的信仰力？只要能夠不捨念。第一個信心就是念不退，念念三寶，緣念三寶，念佛、念法、念僧，念不退，要是有信心位的菩薩，二信、四信，乃至第十信，願不退，我們還作不到呢！不過，這是形容佛的，我附帶說一說。

無生法忍，就是忍一切法無生。對於無生的意義，雖然聽說過，還體會不到，解還是不夠。已經解了，還是行不到，作不到。要是能知道一切法無生，無生就無滅，就是寂靜的，你不會再造任何的業了。到了無生法忍的地步，就斷了無明。三賢位的菩薩還是不夠，得登了地的菩薩，證了法性理體。證一分，登一地。證十分就叫等覺了，究竟了，妙覺成佛。所以我們很容易斷現行的惑，可是斷習氣非常難。你要問前生是作什麼的？你自己可以知道。你現在什麼習氣最重，你就是作什麼的。前生幹什麼，你就知道，自己很清楚。

如果你還是不知道前生作什麼，從哪道來的，你就用《占察善惡業報經》的占察輪來占察，前面一至十的數字，就是你的過去生，從那一道到現在的變成人。你想知道死之後到什麼地方去，就以你現在擲的時候來定，你就知道要到哪一道去了。未來你還能不能聞到佛法，自己很清楚，你不清楚，地藏菩薩會告訴你。如果擲出來不好，就多念地藏菩薩聖號，每一天念一萬聲，念念，你再擲，再擲就轉化了。你該下三惡道的，不下了。該昇天的，不昇天，昇極樂世界，你可以轉化自己。

你必須證得無生，雖然沒有深入證得無生，你已經理解了，已經相信了。你也具足這個功德，用這個無生法忍的珍寶來莊嚴自己。慈悲喜捨四無量心，慈無量，悲無量，喜無量，捨無量，慈悲喜捨就是拔一切衆生痛苦，給一切衆生快樂。聞法見三寶，常時生歡喜心。法喜充滿，什麼都能捨，連自己的身體都能捨，何況自己身外之物呢？都能捨，使自己的身口意成爲圓滿勝因。

以這個作爲他的寶履。寶履，穿的鞋，他在三界當中，欲界、色界、無色界當中，他的身口意是微妙的，從不作惡。行善事，圓滿一切勝因來作他的傘，作他的蓋。「安置古昔諸佛天仙共所護持金剛定座」，金剛菩提座，一坐在這兒就成佛。釋迦牟尼佛坐的菩提座，就在印度伽耶的菩提道場。現在誰去都可以看見，兩千多年前如是，現在還如是。那麼一個方墩子是土的，經過那麼多的風吹雨打，可能會減少一些。這是我所看見的，我認爲的，也可能沒有動過。那是金剛座。

釋迦牟尼佛，就坐這個座。坐在這座上證得菩提果位，證得的一切聲聞獨覺，恭敬護持的四種念住座，乃至於是先諸佛所敷之座，一切諸佛都坐這金剛菩提座而成就的。四念住呢？前面已經講了。身、受、心、法，就念這四念處。這是佛的第一輪。坐上了這個座，就證得了無上正等菩提，一切智位，一切智智的果位了。

「爲令一切三寶種性不斷絕故，轉於法輪，擊法鐘鼓，妙法音聲，遍滿三界，令諸天龍、藥叉、羅刹、阿素洛、揭路茶、緊捺洛、莫呼洛伽、鳩畔茶、薜荔多、畢舍遮、布怛那、羯吒布怛那、人非人等，於四聖諦皆得明解，三轉十二行相法輪，一切世間所有沙門，若婆羅門，諸天魔梵人非人等，所不能轉，爲欲利益安樂世間無量天人，令得殊勝廣大義利，昔所未轉，而今轉之，善男子，我成如是第一佛輪。」

這樣就使佛法僧的三寶，永遠不斷絕。這是空無佛的時代，那些大菩薩到哪裡去請呢？佛沒有到人間成佛的時候，先到兜率天的內院。現在繼佛位的是彌勒菩薩，也在那兒。這些菩薩到了兜率內院，請他下生人間來成佛的，這樣子使三寶種性不斷絕了。轉大法輪，初轉法輪說的四諦法，三轉法輪於大千。這個時候擊法鐘鼓，這個法鐘鼓是誰擊的？佛最初說法，最初佛成道的時候沒想說法，是大梵天請的。所以，這個鐘鼓是帝釋天跟大梵天所叩的。這個鐘鼓顯出了妙法音，遍滿欲界、色界、無色界，令天龍八部諸鬼神等諸天，龍、藥叉、羅刹、阿素洛、揭路茶、緊捺洛、莫呼洛伽、鳩畔茶，這是八部鬼神衆。薛荔多、畢舍遮、布怛那、羯吒布怛那、人非人等，從薛荔多以下是鬼，有的是臭鬼，有的是食人鬼，有的是餓鬼，這些鬼是鬼王的意思。「人非人等」，羅刹夜叉，有時候像人，又不是人，說是天又不是天，又有神通。像人？頭頂長個畸角，又不是人，似人非人，所以叫「人非人」。

四聖諦是苦集滅道，四聖諦法，三轉十二行相的法輪。一切世間所有的沙門、婆羅門、諸天、魔、梵、人非人等所不能轉的。除佛之外，一切的其他類衆生都不能轉，不能說。不是他不能說，因爲他不知道如何說，他也不念，也不懂。佛成佛之後，「爲欲利益安樂世間無量天人，令得殊勝廣大義利」，過去沒有說的法，現在說。「而今轉之，善男子，我成如是第一佛輪」。什麼叫佛輪？就是這個意思，先用國王的王輪來形容佛輪，先用世間形容出世間。

「由此輪故，如實了知此世他世是處非處得安隱住，得無驚恐，得無所畏，降諸天魔外道邪論，轉大梵輪，成大梵行，我應住此雜染世界五濁惡時處大眾中，正師子吼，滅諸有情五無間業。廣說乃至諸不善根，摧滅一切諸眾生類，堅如金剛，相續煩惱，建立一切，永盡諸漏，解脫妙果。隨其所樂安置一切有力眾生，令住三乘不退轉位。」

因此，佛就證得了十力。這裡只舉一種，是處非處之力。「如實了知此世他世」，什麼叫「是處非處」？你投生到哪個世界去，是不是跟你的因果相應，是不是投胎投錯了？也有投錯胎的，有的是菩薩示現的，不是投錯了。「如實了知」，就是實際理諦，也就是一實境界，因一實而界，因法性、稱法性而知道的。所以在這個世界上安隱住，沒有驚恐，沒有恐怖，得無所畏。

不但自己不恐怖，還讓一切衆生都不恐怖。「降諸天魔外道邪論」，佛教是正論，破除外道邪論。在末法，邪可勝正，現在邪就勝於正。爲什麼呢？業所感召。誰的業所感召的呢？一切衆生的共業所感召。

不合乎佛的教導，太多了，這點我不多說。我多說了，不大好，你自己去辨別。哪一個是邪，哪一個是正？必須得有辨別邪正的智慧，凡是佛語，我只舉一個四念處。凡是觀身不淨的，如果說這個身體是清淨的，我是佛，一個九孔常流不淨的色身，你是什麼佛呀？沒有這樣的佛。釋迦牟尼佛不是這樣子，釋迦牟尼佛化現的是清淨的，乃至化現的色身都是三十二相，八十種好。你不能住於正定，你的心數數生起，數數無常，什麼事都把自己擺到第一位，不能觀一切法無我，連這麼最起碼的都作不到，這就叫邪輪，不是清淨輪。

「轉大梵輪成大梵行」，是用大梵形容的清淨輪，清淨梵行。所以，地藏菩薩說，佛，這個世界爲什麼這麼雜染，這麼的污濁？你在這個五濁惡世住著，安隱嗎？佛就說很安隱。所以在這個雜染世界，五濁惡世的時候，我發出的是師子吼，說的是正法，消滅一切有情的五無間業，把弒父、弒母、弒阿羅漢、出佛身血、破合和僧，都消滅掉。

同時，廣說諸不善的事情，讓他獲得善根，摧滅不善的根，摧滅一切眾生類所具足的煩惱，煩惱相續不斷像金剛那麼堅固，我都摧毀。「建立一切永盡諸漏」，讓一切眾生都成佛，都證得解脫，證得究竟不可思議的果位，這就是佛果。隨他所愉快的，安置他作什麼呢？「令住三乘不退轉位」，住到聲聞再不退轉的六道，了生死，以後，都逐漸能成佛。二乘人不是不會成佛嗎？他到了一定的時候，會轉小向大的，沒有不成佛的眾生，也沒有不成佛的二乘，佛在責備阿羅漢的時候，說他們不發大心，不發菩提心，那是時候還未到，大家要是念《地藏經》，念《普門品》，就可以知道了。《普門品》上，發起的是無盡意菩薩，無盡意菩薩在《地藏經》上，地藏菩薩化作光目女，一位在家信女，度她的就是無盡意菩薩，那位阿羅漢就是無盡意菩薩，在無量劫無量劫前，無盡意菩薩已經證了阿羅漢果。沒有不發心的阿羅漢，只是時候還未到。

我現在跟大家講一講「三轉法輪於大千」，這個名詞大家經常聽到的，但是，很少詳細解釋。現在有這個因緣，我們就利用這個機會講一講。莊嚴劫千佛、賢劫千佛、星宿劫千佛，莊嚴劫千佛已經過去了，從華光佛到毘舍浮佛，在我們拜懺的時候只列舉了毗婆尸佛、尸棄佛、毘舍浮佛，我們所說的是過去劫的三佛。現在賢劫的四佛，就是七佛世尊。賢劫的千佛拘留孫佛，我們剛才念過的，拘那含牟尼佛，迦葉佛，釋迦牟尼佛是第四尊，彌勒佛是第五尊，最後是韋馱菩薩。星宿劫千佛第一尊佛是日光佛，最後是須彌相佛。《地藏經》的第八品，最後的主命鬼王，他成就的就是須彌相佛，那是在星宿劫的最後。現在依這個經文講到三轉法輪。

初轉法輪，就是講苦諦，這個諦迷了，就苦了。要是不迷這個諦，那就好了，佛就把這個諦告訴我們。初轉法輪就是告訴我們苦的形相。說「此是苦，逼迫性」。苦轉就示相轉，說此是苦是逼迫性，利根的衆生一聽，他說這苦是逼迫性，我要斷苦，這個苦怎麼來的？就找原因。原因是集來的，說此是苦，是逼迫的，就是初轉，叫示相轉。

次轉就勸修。「說此是苦，汝應知」，你應該知道，這是苦。第三轉是作轉，「此是苦，我已知」，一轉，利根人就開悟。有些眾生根基沒有那麼利，就必須加上「汝應知」。爲什麼說苦？這是次轉，這是中根的人。那麼你還沒有領悟，佛就作證，作證轉，說「此是苦，我已經知道了，你應該信」，這叫苦三轉。三轉法輪於大千，說苦集滅道都經過三轉，是這樣的涵義。這是集諦。而這苦果怎麼來的呢？講世間因果，這個苦果是你招感來的，一齊集來的，苦果是苦因成就的。那也是初轉，是示相。此是「集招感性」，苦的因集多了，你自然要受苦果。那個因會感果的，招感性。利根的人，這麼一說，他就知道了，就懂得了。次轉，就是中根人，就是勸修，「此是集，汝應斷」，你要想不受苦，就得斷這個苦因，叫次轉。次轉還未開悟，還未明白，就要三轉，三轉還是作證轉。

這四個都是示相，勸修，作證。一個出世間因果，一個世間因果。說「此是集，我已經斷了」，你也該斷了，就這麼一個解釋，這叫世間因果。如果斷了集因，苦果自然就沒有了。沒有苦果了，你就超出三界了。超出三界，斷苦了，就證了。接下來，要想斷苦就得修道；修道，就能證得果。世間因果就是苦集，苦是果，世間的果，集是世間招苦果的因。

那麼要翻過來，從世間到出世間要修出世間的因，證出世間的果。苦跟樂是相對的，說是出世間的因果，樂果樂就是滅，也是初轉次轉三轉，示相、勸修、作證，此是滅可證性。「滅苦的，你應該證得」，證得了，苦就沒有了，這是可證性。

次轉，就勸修，勸他修道，「此是滅，汝應證」，你應該證得，滅就是證生，你不生就不滅，不滅也就不生。生死輪轉，滅了就不輪轉了，就這樣的說，你應當證。勸他得修，跟中根人說，「此是滅，汝應證」，你應該證得。

三轉，就是「此是滅，我已經證得了，我可以證明，你可以如是作，也能證得」，這就是悟的果。悟的果，因是道諦。苦集滅道，道是因。悟的因，苦果是迷的果，樂果是悟的果，苦因是迷的因，樂因是悟的因。這是相對的。

道諦的初轉，就是示現轉。「此是道可修性，你應該去作」，應該去作，上根的人一聞就能夠悟得，悟得就能夠修，修了就證得了。要是中根的人，還得勸，佛就假自己證明，說勸修，說「此是道，汝應修」，你應當修這苦集滅道。我們舉了一個例子，講四念處，那就修道。你觀身不淨，觀受是苦，觀心無常，觀法無我，這是修道的。「汝應修」，這有很多，我只舉這一個例子，三轉就作證了，「此是道，我已修」，我已經修過了，已經證得了，修完了就證得。

在經上，三轉四諦，說起來就有這麼多的意義。集是招聚的業，把這個審察一下子，我們的煩惱惑業，就招集了我們三界的生死苦果。集諦就是關於這個世間，爲什麼要生起苦果呢？你所作的就是生起的因，積集的根源，根源就是眞理。眞理本來是沒有的，是因爲你作，生起苦的因。滅是寂滅的意思，說你審察一下，苦的根本是什麼呢？就是欲和愛。要是斷除了欲和愛，苦就滅了，苦滅了就不再生了，你就入於涅槃的境界。什麼叫涅槃？就是不生不滅。苦集的因滅盡了，苦果自然也就滅掉了，這就是眞理。而道滅二諦就是出世間的，滅是寂滅的意思。欲愛爲因，所以你就證不得滅果，你斷了欲愛，就證得滅果。怎麼樣斷呢？要修，要觀一切法無我，應當這樣的來修。

三十七道品、八正道，都是我們修行的眞諦。所以佛在成佛之後，他觀察應對之機，就到鹿野苑，對憍陳如五比丘說四諦法，這就是佛教最基本的、最初的教義。於說生死解脫之外，還要深入的說四諦，那就是大乘的解釋。大乘經典也有苦集滅道四諦，但是說的比小乘更深入一些，發揮的道理更深入一些，懂得這種道理，這就叫三轉四諦。像這類的名詞，如果都這麼解釋，我們的時間是不許可的，我只解釋這麼一個例子，乃至於四念處、四如意足、四正勤、五根、五力、八正道、七覺支，都在三十七道品裡頭。

「善男子！如剎帝利灌頂大王，初登王位，受帝職已，觀察過去未來現在諸王法道，於其種種王業輪中，以善觀察因果報智，隨其所應，建立一切輔臣僚佐，普及國邑愚智人民三種業輪。由此業輪，率土眾生，長夜受用，所有種種適意資具，喜樂增長，能滅一切怨敵惡友，何等名爲三種業輪，一者建立帝王業輪，謂善教習軍陣鬥戰，降他兵眾，撫育人民。二者建立田宅業輪，謂善教習造舍營農，令得安隱飲食充足。三者建立財寶業輪，謂善教習工商雜藝，令得種種珍玩資財，隨意受用，增諸快樂。善男子！剎帝利種灌頂大王成就如是第二王輪，由此輪故，於自國土得安樂住，能伏一切怨敵惡友，善守護身，令增壽命。」

這段經文是說灌頂王繼承了王位之後，他觀察過去諸王所訂的法律、所有治理人民的政策，他觀察之後，這裡頭有善有惡、有好有壞。過去的國家為什麼災害那麼多呢？那是法律不健全，乃至於不依照法律去作，不奉公守法。以智慧觀察種種的因果，應該改革的，他就改了。這樣子，對於他的臣僚、大臣，乃至於一切工作的人員，他建立了三種業輪。

「業」就是所作的，「輪」是比喻，輪，可以消除一切眾生的惑業，這是在佛教說的。依在家說，就是摧毀不正的，建立正確的。每一個國土裡，最初建立了國王，大多數是新興的，都是好的，漸漸就腐朽了，衰亡了，沒落了，新的又產生了。新的產生了，又重新建立。佛教的業輪可不是這樣子！

我們過去如是，現在如是，未來如是，永遠如是。

那位灌頂王，他建立了三種業輪，就是所作業，這個業有好有壞，他率領衆生過的很舒服，很適意，很受用。建造三種業輪，就是使他的國家人民安定愉快的生活。外來的怨敵，或有不善的惡友，都摧毀了，他才能建立起帝王的事業。第一個是習武，任何國家如果沒有武力的保護，人家會欺負你。強大的國家都是擁有武力，大家看到報紙上報導，法國不管誰反對也要試探核子武力，爲什麼呢？他要親自試探，自己就有把握，不試探，人家欺負他，也沒有辦法。但是往往在各個國家之中，我自己有了，就不許你有，這是大國欺負小國。

現在他從弱國一直轉變成強國，換了新王，第一個就要教他的人民練習戰鬥。安撫他的人民，教育他的人民，這是第一種業輪，這是衛國保家。我記得小時候，我們縣裡頭經常在挖城牆，怕強盜土匪來。現在恐怕連城牆也沒有用處了，現在都拆毀了，因爲可以空降了，再往後發展的時候，比這個還厲害，就像佛講的刀兵劫，順手拈來都是武器，草木都是兵器，都可以殺人，現在已經如此了，化學武器不就是這樣嗎？這種輪必須得建立。

第二種就得先建設住宅，得有住處，也就是田宅的業輪，得有土地開發，耕種的土地，建造的住室。所以，他得有些方法，教導他們怎麼建造房舍。我們看過去的房舍，有很多地方是不一樣的。我在四川，我看四川人拿茅草房搭建蓬子。我說：「現在你有磚瓦爲什麼不蓋？」他說：「那磚瓦房住起來不舒服。」我說：「爲什麼？」「茅草房，我們蓋起，冬暖夏涼，磚瓦不行。這個東西，我們兩三年可以拆，換新的。我們磚瓦房蓋了，很難換新的。」四川的茅草房就是竹子，把糧食打完了，新草一換，他的房子確實還有股新鮮味。隔幾年就換一下，那是茅草蓬的。西藏更簡單，一切都取之於牛身上。把牛毛編成帳蓬，織起來，就算下多厚的雪，他也不怕的。一彈指之間，雪就下去了。他搬家的時候，把房子一拆，往牛身上一馱，走到那兒都可以。他的房子隨時可以變化的，這就是牛毛帳蓬。住處的建設，是人生最需要的。現在我們到其他的國家，第一要買間房子，住起來舒服，沒有房子你就不安定。

第二輪就得建築一個房舍，還得有田地，沒有田地怎麼能生存呢？我們吃的全是地上長的。這樣子，令國內的人民得到安隱，飲食充足，有吃有穿了，他要享受，所以說建立財寶業輪。善教習工商雜藝，「雜」就包括很多，我們現在的玩具，我們看見現在健身運動的器械，乃至於交通的用具，這都是工商雜業。

從歷史上，佛教的護法大多是商人，這類人，他有福報，他要種善根。國王也護法，不過很少，護法的國王就是剎利帝王。有些惡的國王，不但不護持，反而消滅，看對他有沒有利益。商人是種福的，大家看看佛教的歷史，我所看到的大多數都是商人護法，為什麼要教習工商雜藝呢？大家要享受，要種種的珍玩資財，隨意受用，增長生活的樂趣，增長生活的快樂。所以，這個剎帝利灌頂王要成就第二個王輪。第二個王輪就包括了三種業輪。

建立第二王輪之後，他的國家就能安樂。「能伏一切怨敵惡友」，善能守護他的家財，守護他的國家，守護國民的安定，令一切人民壽命增長。這就是王輪的第二王輪。這是用比方，並沒有什麼涵義，略說一說。拿這個來比喻佛輪。

「善男子！如是如來初成佛果，得無上智，觀察過去未來現在諸佛法眼，以善觀察諸業法受因果報智，建立一切所化有情三種業輪。由此業輪，能令三寶種性法眼長夜不滅，無上正法熾盛流通。令諸有情，長受種種生天涅槃安隱快樂，及令一切外道邪論，不能降伏我正法眼，而能如法摧彼邪論。」

「如是如來初成佛果」，佛將證得佛果，得到無上智，要看看過去的諸佛以及未來的諸佛。現在的三世諸佛，都證到了法眼清淨，佛眼觀一切，能洞察一切，觀察這些諸業法的，所受的因果報智。「因果報智」，有這種智慧，建立一切所化的有情三種業輪，也是三種業輪，用前三輪來比喻。

建設三種輪的話，能令三寶的種性，常時不斷，使一切衆生的法眼清淨，長夜不滅。不滅是指光明的意思，法眼的光明，能夠得知哪是正法，哪是非法，使佛的無上正法，能夠熾盛流通，令所有佛國界，受佛教化的衆生，能夠生天，乃至證得涅槃。生天，比三惡道，比人間要快樂多。而享受快樂，究竟證得不生不滅的究竟快樂，安隱快樂。凡是有害的一切外道邪論，外道邪論是跟正法眼鬥爭的，佛法能降伏一切邪論，而能如法的摧彼邪論。

「善男子！何等名爲三種業輪，一者建立修定業輪，二者建立習誦業輪，三者建立營福業輪。善男子！云何如來修定業輪，定有十種，何等爲十？謂正觀察諸有識身六種境界，我我所執以爲其因。業爲良田，無明覆蓋，愛爲滋潤，無有自在，依他而立，繫屬衆緣，爲欲斷滅業煩惱苦三種流故。如是觀察，云何業流？謂諸有情所行諸行，若此諸行所由無明及愛爲因，能生諸有，名煩惱流，若由煩惱識爲其因，衆緣和合，名色生起，名色爲因，衆緣和合，六處生起，六處爲因，衆緣和合，觸受後有生老死等次第生起，是名業流。」

三流，有業流、煩惱流、苦流，要觀察它們是怎樣生長的。什麼叫業流？什麼叫煩惱流？什麼叫苦流？每一個名詞含著很多意義。你要是懂的話，你就契入佛經了。不止這一部經，好多部經你都能懂。這裡舉了三種業流，什麼叫業流？就是在日常生活當中所作的一切事，包括睡眠，乃至於從生下來，一直到死亡，你逃脫不了的，離也離不開的，都在這三種業裡頭。業流就是你所造的業，凡是有情的，包括動物，畜生、馬、牛、羊、雞、犬、豬都包括在內，植物不算。

不過，業流是以人類爲重，你所作的諸業，就是你所行的，這叫業流。流就是永遠不停息，流是動業，永轉不停息，永遠這樣流。煩惱流，就是無明跟愛。這個愛就是衆生的欲望，衆生的欲望是我們的生死根本，有愛染，以無明愛爲因。由這個因而產生的行爲，因爲有了行爲，就是你所作的業，善惡業，就有升有降，升者就上天，降者就下地獄。

那時候我在北京，碰到一些煤炭的工人，我問他：「你作什麼職業？」他說：「我有時候，下地獄，下地獄！」我說：「你能下地獄嗎？」他說：「我是下地獄！」我說：「下地獄幹啥呢？下地獄不受苦嗎？」他說：「我是作工作。」我說：「作什麼工作呢？」他說：「我跟閻王老子挖煤。」我說：「你這個工作是不是在煤炭工作呀？」他說：「是呀！我天天都要下地獄。我們一早上睜開眼起來就下去。」他在北京門頭溝工作，到了晚上才出來，很容易碰見坍方，上頭掉下來或者冒頂，這是他們坑道的術語。北京的門頭溝已經挖了好幾十里，他們在西山的底下挖。「有時候我也有生天的時候！」我說：「你現生就能生天？」他說：「是呀！」我說：「你怎麼生呢？」他說：「把我吊到中南海裡頭去，那些大官，我把他們看成玉皇大帝，給他們添磚蓋瓦，那房子漏了，要我去添磚蓋瓦。」我說：「你真的本事大，上天入地。」

其實每一個人的生活，就是這樣子，時而作善業了，上升了，有福報的日子過得很舒服，你別把痛苦忘了，我們也受過苦。能生諸有的話，這裡包括很多。三流，一個業流，一個煩惱流，一個苦流。苦就是有煩惱，識為其因，識就包括眼耳鼻舌身意六識，眼睛是屬於根。眼根對著外邊的境的時候，它是沒有分別的。能分別的是眼識，用眼識來分別，這個識是指六識，總說起來是八識。有煩惱識為因，還得加上很多的因、很多的緣來促成，它才生起這樣的次第！什麼叫現在五果，未來二果？這都叫苦流。無明和行，行是運動義，要是貪、瞋、癡、慢、疑，再加上身、邊、戒、見、邪，這十種都叫煩惱。這十種叫「結使」，它促使你作業，這就是行。這是內心裡頭的，屬於因。心裡頭造業，還未生出現實的。心裡想的運動，就是心裡的活動，因爲你不明白，不明白了就去活動的，不是智慧的活動，而是愚癡的活動。這純粹是造業的活動，是這個十結使的指使。投胎的業識，我們經常說這個結使是八識種子的，那個是惡分，不是善分，識裡頭有善惡二分，「使」屬於惡分的。造了這些業，造了這個業就投胎。

由於過去這兩種因，造這個業，這個八識又稱含藏識，它就含藏在識裡頭。由於過去業，你就受報了。受報了，隨你所作的業去受報，有的生天，那就享受，那也是他的識。那麼投於六道去，投生人道，就是最好的。如果你作的善業多了，才能到人道。一般的衆生是生不到人道，你墮到餓鬼畜生三惡道去了，要是墮到畜生道去，那就更苦了。

不論到哪一道，業識將入胎的時候，七天一變，將入胎的時候，還未有長六根，連眼耳鼻舌身意都沒有，只有胎形，六根未具。出胎之後，愛欲跟境接觸了，眼觀色，耳聞聲，身體就接觸，在母腹裡頭很溫，一生出來，那空氣就讓你每個毛孔掙扎，那種痛苦，你說不出來，就是感覺到痛苦。這個痛苦，我們不知道了。在監獄受種種苦刑的時候，把你的嘴巴堵上，眼睛蒙上，看也看不見，聽也聽不見，六根都閉上了，只知道受苦，說不出來。我想最初投胎接觸的苦，可能跟那個也差不多，沒有辦法表達。表達又怎麼樣呢？這是苦果。外界接觸了，那就不同了，生起苦樂感覺了，也就是小孩子不會說話的時候，他不如意，就用哭來表達一切，小孩子哭，大人不要太哄他，他哭就是表達。他哭的時候，就是成長。他一切的運動，只有哭，哭是他的運動。多哭，沒有什麼關係。但是他表達了他的不快樂，小孩還不會說話，你逗他，他也會笑，妳們帶小孩多，就知道那種感受。我瞭解得少，妳們比我瞭解得多，我是根據經上說的。

這個時候他產生的苦樂感受，業是投胎，這就是果。等他長成六根，他是果。出胎了，跟外境接觸了也是果。這一接觸，苦樂受，他就享受吧！從此就受了，這一生他都要受，受到再投胎，或者再死亡，永遠不止息的，所以稱爲流，流是動的意思，流動不止。這就是無明緣行、行緣名色、名色緣六入、六入緣觸、觸緣受。這是過去的兩因，二因而結了五果，識、名色、六入、觸、受是五果。

由於過去二因受現在的五果，不會停息的。愛、取、有，是現在的三因。對境，對一切境界，生起愛欲，這花太好，我買一朵，我看見這花園裡有很多好花，沒人看見，摘一朵，這就是犯盜戒。看値好多錢，要是錢多，盜戒已經成了。雖然說我沒有作，只要生心都算。那就是造了那個因，造了因，對境生貪愛，生欲望。生了欲望就想得到，好的想得到，不好的想捨掉，就想不受。因爲追求這個，就要造業，就要造作。這一造作，就成了業。因爲這個業因，你就受報。我們現在作的，現在就現受現報。已經現受現報，只是臨時的果報。

如果我去搶人家的東西，當然受報，馬上就被捉去關監獄，關監獄而後判刑，這是現報。但是還未完結，這只是人間的法律。完了，你要受因果。

你搶人或者殺人，殺人要還命，國家法律已經執行，搶人家被捉到，把我槍斃了，我不是還了？不是，這是人間的法律，還得受報，那個人還會找你要命債，你得還他。你現在作的因，未來還要受色聲香味觸法五蘊的苦果。再來受，再來生，生了又老，老了又死了，死了又造，造了又生，生了又死。就這麼來回的輪轉，這叫十二因緣法。

在這裡，佛建立第三輪，建立修定輪，解釋定有十種。你要觀察十身，六種境界。「我我所執，以爲其因」，我執實爲我，像我們上面講的。你所作的業是田地，就是良田，被無明覆蓋，再加上愛的滋潤，自在不了。受這因跟業的束縛，都是依緣而成立的，依他而立，這叫緣生，緣生諸法。凡是因緣生的，沒自體的，生而滅，滅而生，生而滅，滅而生。無自體的，就是緣起時不能久住的意思，也就是輪轉的意思。假使要想觀察這個業流，觀察明白了，之後，一切有情所作的種種諸行，就是諸業。這個所作的諸業又成了一個煩惱苦，由於造業而繫屬的衆緣成就了，成就了，你就受苦，要受煩惱苦。有了煩惱，那就受了苦果。要經常的觀察這三種流，業流、煩惱流、苦流，一切有情所作的，超不出十二因緣法。隨你想的、作的，過去的、未來的、現在的是受的，現在受過去的因，現在受的五果，受的過去的因。你相貌長得好醜，有智慧沒智慧，跟你過去的無明行有關係，跟你的善業也有關係。那麼所受的不同，都是由無明跟行，無明在前，行在後，再加上愛為由，才生長諸有。

諸有是一切有情，我們都有情感。畜生有沒有情感？任何畜生都有情感。你看那布穀鳥，要是細心觀察，仔細研究，你看看牠們的行動，牠們也有愛有取捨。你要如是觀察才知道。家裡養小雞，或者布穀鳥，你看那雌性的，會圍著雌的轉。那雌的不喜歡那雄的，就不交往。雌的喜歡那雄的，就交往。這不是愛嗎？不是有取有捨嗎？一切動物、一切人都如是。

十二種因緣生起的意識，構成了有情生存的十二種條件，這叫十二支。因為愚癡，沒有智慧看不破，才有行，有行才造業。在〈大乘起信論〉上講，一念不著生三細的三繫相，這是根本煩惱，它不會停止的，它是在轉變的，因為轉變，它就追求現前的境界。這境界還是自心的，緣那個行，那個運動，他要找個對象，要取境。因爲想取境，就產生識，而識有分別，識是分別義，他要分別。因爲有識，緣名色，名色緣六入，六入緣觸，觸緣受，受又緣愛。好的，他喜歡，你要是用鞭子打他，那個觸，它不接受，太苦了，他有痛苦。太熱了，它又痛苦，太冷，它又痛苦，這是屬於觸的感受。這樣子緣愛，就有取捨。有取捨，就緣有，緣取有有。有緣有又生。緣取就有，緣有就有生，緣生就有老死憂悲苦惱，大患所聚一身，一切苦惱都產生。

這說明了一切事物都是緣起的，依他起行，都是依緣而生的。十二因緣，過去、現在、未來，無明跟行是二因，過去的、現在的，這叫一重因果。這種因果就是兩因五果，過去的因，現在受的果，有識、名色、六處，而六處觸受現在的五果，所受的五果。在這個取捨當中，有取有捨，有愛有取，這就有了生死。這是三因。這個三因，就是給未來造成不生老死苦果。這叫三因二果。生老死，有生必定有老，有老必定有死。有的時候跳過去，未等老，他就死了。有的人業不同，他只受苦，一生下來就死了。甚至還有胎死母腹中的。業不同，過去的因不同，所受的果也不一樣。因爲修這個定業輪，定業輪有十種，修定的時候要觀察，觀察你身的六種境界。

我們剛才講的是十二因緣，這裡只講六種境界，是指內在境界說的。還有，在這裡產生我、我所執，就是以我爲主宰義。執著的，就是在無明當中。我們每個人都因爲不明白，沒有智慧，他認爲自己是對的，說我是第一，執著那個見解。看問題，明明是不對，但是各人有各人的執著，他有他的執著，這個就是他的因。一個人在看問題的時候，分析問題的時候，是不準確的。你認爲這個是對的，其實你已經錯了。就像我們買股票，買這張股票以爲一定發財，一定能漲，結果你一買到手就賠錢，已經不漲了，好日子已經過去了，你看人家都賺很多錢，你生起羨慕，你去買，那就是我執。他認爲一定能賺錢，事實上一定賠錢，賠到跳樓自殺，有沒有這種情形？也有看對的，這回一定發財，他的投資就投對了。

這都屬於我執，我見。但是從佛經的道理來講，從生滅法上來講，得到的也會消失，沒得到的當時就受苦，得到的後來才受苦。你得到也好，沒得到也好，都是虛幻的。你得不到什麼，最後是消滅的，虛幻不實的。但是他不認識，以爲是實有的，其實是虛妄的，要想無我，非常之難。非得滅因，不取於緣。怎麼辦呢？你要修，佛要建立修定業的輪，你得先觀察觀察業流、煩惱流、苦流。

「如是三流，業爲良田，無明爲因，愛爲滋潤，而得生長。爲欲枯涸，業爲良田，無明爲因，愛爲滋潤三種流故，於五取蘊，觀爲無常，及苦無我，愚鈍無動，如幻如燄，如水中月，如夢所見，空無所有，無相無願，無所造作，無生無起，無出無像，寂靜遠離，無所出生。於五取蘊如是觀察，能順空忍，順無相忍，順無願忍，爲欲隨順觀五取蘊。」

「業爲良田，無明爲因，愛爲滋潤。」這又生長，你想把業流枯涸了。有時候這個枯「涸」，念「固」，有時候念「涸」。枯是乾枯的意思，那個水流已經乾枯，枯竭不讓它滋長。你先斷了無明，看一切事物是無常的，你就不會愛，不生起貪愛之心。所以，他就說業爲良田，無明爲因，愛爲滋潤，才能生長，生長出什麼呢？五取蘊，也就是取、貪取。在《心經》上，五蘊，色、受、想、行、識，就是二法，就是色、心，受想行識屬於心法，色就屬於色法，只是兩種，這兩種都是無常的。

所以，你想修定，要先觀這些是無常的，是苦的，不是甜的，是無我的，因爲愚癡的緣故，把這些看成是「如幻如燄，如水中月，如夢所見，空無所有，無相無願，無所造作，無生無起。」想修這個定業，有六種。要先從無取觀察，先進入了空、無相、無願的三解脫門，而後再進入。我們學佛之後，要想修行，要想眞正進入，要想解脫，這是最基本的。一切止觀，必須得這樣修。

因此我就給大家介紹一下，你要想入定，要觀察生死的十二種流，要斷這個業，煩惱、苦流。你要想修定，乃至「數、隨、止、觀、轉、淨」。這是本經上所說的。智者大師作的天台宗〈六妙門〉，他在中間改一個字，「數、隨、止、觀、還、淨」。這部經上說的是「轉」，「轉」跟「還」的意是相通的。轉變一下，還本還原，意思是一樣的。但是得有前方便，如果你沒有前緣，要想修，你進入不了。所以智者大師給我們提出來，要想修止觀，因緣必須具足。如果沒有那個條件，你修不成。具足因緣有很多，你發心要想修行，要想得定，要想開智慧，證得定慧能夠去除一些苦難的，你要想作，得具足緣。沒有緣，是不成的。什麼緣呢？你受了三歸五戒了，要持戒，起碼三歸五戒，得持清淨。第一個是持戒清淨，才能止住煩惱。因爲持戒緣故，得生諸禪定，也能滅苦，能夠生長智慧。

第一個是持戒緣。但是持戒有不同的情況。智者大師說，持戒的修行人，持戒有所不同。哪三種不同的持戒呢？我簡單說，就是我持了，受了戒，根本沒犯過，第一種是最好的。第二種我犯得很輕微，不是重的，一懺悔就懺悔掉了。第三種，犯了根本戒，你受了五戒，殺盜淫妄都犯了，歸依三寶了，後來，你又歸依外道了，這是破了三歸，這是第三種。但是你能夠至誠的依照依著大乘教義，還是可以懺悔的，但是必須痛哭流涕，天天拜懺，晝夜二十四時。這樣懺悔，懺悔清淨了，得到清淨，得到證明了，見了相好。清淨了，這因緣還是可以成立，修觀還是得入的，但是必須現生不作五逆罪，如果現生作了五逆罪的，現生想再得止觀，很難。

那個懺悔清淨了，已經成就了。修止觀的人，一者是從來不作諸惡，二者作了惡事還能悔恨，還能懺悔的，但是懺悔有方式。第一要信因果，第二個生起恐怖，恐怕下地獄，恐怕受輪，第三種要生深慚愧心，完了，再求學滅罪的方法，或者拜哪個懺都可以，〈地藏懺〉、〈占察懺〉、〈千佛懺〉、〈大悲懺〉，都可以，但看哪一個方法適合你。

最後你要是能夠修觀的時候，觀「罪性本空唯心造，心若亡時罪亦亡」，就是觀無生。如果罪業重的人觀無生，根本觀不起來。如果眞正的前生宿世善根深厚的，修七天或者三個七天或者一個月。我們拜〈占察懺〉，在《占察經》上，地藏菩薩說拜一個七、兩個七，一個月、兩個月都不成，就拜三年，這可不是像我們一天拜一次。而且要能持聖號，就清淨了。

地藏菩薩依照他的懺法，修的時候是這樣的。第一個，你得具足這個緣，我只舉訶責五欲，五欲就是貪心、欲望，生活不能太舒服。生活太舒服的人，你想要進入止觀，你進不了。妄想紛飛的，混濁不清的，怎能禁欲呢？你想要坐禪，必須訶責。

五欲就是色、聲、香、味、觸。迷失愚癡的人，就是在這色聲香味觸裡頭，色聲香味觸生愛著，生貪染，不知道他的過患，智慧者知道這是過患，不敢親近這五種，叫訶責五欲。這裡頭包括很多，如果大家想學的時候，要多看。

第二種，得棄五蓋。貪欲在五蓋裡頭，就是貪欲蓋。由於這個色聲香味觸的五塵境界，你生起欲望，而且你內在的意根也生起欲望。你修禪的時候，心生欲愛，坐不淨，所以覆蓋你的善心，平常好像還沒有什麼脾氣，煩惱都可以壓伏，能夠忍受。一坐禪的時候，忍受不了，把過去壓伏的都翻起來，而且非常的猛烈。所以，要防止修止觀所生起的障礙。你要是正在修數息觀，數數的過程，或者想起了哪天，誰對我不起，他挖苦我，我得報復。你心裡愈想愈瞋恨，就把你的本修全忘了。乃至於不坐了，起來了，那個業障促使你去找他報復。要訶五欲，要棄五蓋，第一個條件是外緣要具足緣，這一共有十種。

還有第四種，是調和。行住坐臥，都可以修。但是以坐爲好，修止觀的時候，一定要調和，身心相適應，先調身後調心。完了，調息，調身、調息、調心，要調和，這是第四種。

這十緣，我只說個名詞。如果大家將來眞的想修，你就研究研究。第五緣，要有方便善巧，修行要有方便善巧。智者大師講了一些方便善巧。第六種才是正修的時候，正修定，或者你打坐也好，坐在思維觀想也好。第七種發願，善發大願。第八種，你自己要認識魔障。未修的時候魔障不現，修的時候魔障來了。第九種，對治禪病。在你修定的時候，有很多的病，這叫禪病。這不是我們身體害的病，你要詳細知道什麼是禪病。第十種就能進入，禪定證果。

總而言之，「諸惡莫作，衆善奉行，自淨其意，是諸佛教。」如果你其他修法的都沒有，觀想的時候，你就念這四句：「諸惡莫作，諸善奉行，自淨其意，是諸佛教。」這是佛教導的，學禪定的時候，你自己會觀、會修，先具足這些緣，外緣都清淨了，才容易進入三解脫門。

這三解脫門就是空門，空門不是像我們講那個，有時候是拿虛空作比喻，這不是虛空，以爲是虛空，那就錯了。空的涵義是說一切緣生的，一切的法沒有自體的。它當體就是空的，是很多種緣合成的，也就是由因緣而生的。假使認得一切法都是因緣而生的，都是無自性的。那天特別講緣起性空，我講了很久，說一切法都是沒自性的，沒自性的是空的。而且是當體即空的，並不是把它打碎了，打壞了，才叫空，並不是那個意思。但是緣散了，緣沒有了，緣不具了，它就空了。你要是能夠了解這種涵義，就很容易得到自在，你知道了，對於一切事物，不起執著了，包括能夠斷我執。阿羅漢所證得的一切智就是空，證得這層意思，他就解脫了，空了就解脫了。這個無相，又稱無想，一切不想，你既然知道一切空了，對於男女的相狀，實在不可得。你要是認得一切諸法無相，那就是離開一切諸法的差別之相，而得自在。就是在一切法上，你能得自在。因爲你對一切法不起執著，曉得它沒有的，它是幻相、假相，如影如形的，這是無相的意思。

「無願無作」，也稱作無欲，你知道一切法無相，你在三界無所希求，既然不求了，你就不造業，你要是不造生死業，生死果報的苦果，你當然不受。這無相，你就得了自在，一相、異相、同相、諸相、差別相，不希求種種的相，因爲它都是空的，都是如幻的。如果能夠進入這三解脫門，有智慧，眞能進入了，那就是在世間而離世間了。你雖然是在世間，已經離開世間了，不受世間諸法的拘束。

再看看「數、隨、止、觀、轉、淨」，數，我們平常說是數數，一、二、三、四、五、六、七、八、九、十，這樣數數。數什麼呢?它是數出入息的，這是修定，心要專注於這一境。一至十，又回來，一至十，如果稍有雜念，數字就錯了。你必須專注這一境，依著這個數字，把你的心定在數字上，你就不會再尋求其他的妄念。

這種的修法很多，我有一段時間用過這個功夫。我是以地藏菩薩聖號來用的，我是一個字一個字，往裏吸氣是「南」，出氣是「無」，完了，再吸氣是「地」，完了，再出氣是「藏」，完了，再吸氣是「菩」，再出氣是「薩」，一個字一個字觀想，你這樣一出一入，一出一入，這個叫觀出入息。《十輪經》就是要你觀出入息，他並沒有說數字。但一般而言，數的方法是一至十。〈六妙門〉的數字，它講得更詳細。這就是修止觀的一個前步驟。

《十輪經》簡略這麼談一下子，每一種都有二種相，能夠把出入息的相，定到這個出入息的相上。那麼，現在就是出入息，先是氣息很粗，等你觀想久了，氣息就細了。細了以後，氣息沒了。就像我念著南無地藏菩薩，念念的念也沒了，氣也不出了，氣息好像就定了。由粗到細，細到感覺沒有了，感覺息止了，這是出入息相。因爲你在出入息的功夫已經進入了，就能夠專注，隨著這個出入息，隨順這個出入息而能止住妄念、妄想、尋求、伺察。你要離開那個妄想，妄想能夠止住了，不再去尋求了，不再打妄想了，你在出入息上已經得了功夫。得了功夫，說的更通俗一點，從粗相進入到細相，就像我們最初數的時候，心很粗，很浮動，很躁動，數數就跑了，數數，思想又跑了。業已經能夠定住，就在出入息上，其他念都沒有了。就這麼一念，觀鼻端、或觀特定的相，即專注一境，就是這個涵義。專注在這個境上，你就能夠止住妄念，這個出入息相已經很輕微。善取出息相，這個相，若有若無，但是，還未止住，必須到了止的境界。

「隨、數、止、觀、轉、淨」這六個是連貫的，這個時候，你感覺到你的出息入息已經滅了，沒有出息了，也就是能住於定中，或者是我們所說的輕安，也叫三摩地，到了這個時候就表示出入息盡了。能知道出入息盡的時候，這是觀，出入息已經盡了的時候是止，知道出入息、觀察出入息，已經息滅了，這就安住於你的心。這個時候你要看著自己的觀察，心無異動，要觀察，這叫因定產生明。明就是智慧，智慧就是照了的意思，到了第四步功夫。這個時候前面所說的色受想行識，色法，你早捨掉，這是轉的心法。你能夠捨掉五蘊，漸漸的趨向於得定。眞能進入定地了，漸漸能夠趣入聖地了，能夠清淨了。你要是到了淨的時候，你就捨掉結使貪瞋癡。那個結使都捨掉了，就能夠產生淨見，這樣就開智慧了。這個說起來好像很容易了，作起來很難了。這裡頭有種種的細行。

還有，你在修的時候，引導的老師會知道你到什麼境界了，你要是問他，「我現在到什麼境界？」特別是起魔障的時候，自己就會認識到的，雖然認識到，可是克服不了。例如說，我們一天要坐三次，或者坐五次，你定的時候，或者你最初克服一切困難，才要清淨下來了，剛剛才要入門了，障礙就出來了。或者世間上很多纏繞的事出來了，你自己心裡不安定，你會躁動的。如果你在坐、在行的時候，在觀想走的時候，或者念佛也好，你雖然心住一境，但是你會躁動，外頭境界自然干擾你。即使沒人干擾你，你自己也會去找，這就是尋伺，你自己還會去找，又退回去。如果是這樣，要回去修的時候就很難了。我們一個數能夠進入了，能夠隨了，捨住尋伺，不去追求，不去尋找，思想不去攀緣了，也就是妄想心，不另外去攀緣境了。

特別是對於修行人，他就會發生這種障礙。或者是心裡生起煩惱，不想幹了，不想作了，不想修了。這是自己內在生起的。或者朋友、親屬，反正什麼緣都來了。當你要進入的時候，障礙就來了。爲什麼呢？因爲我們過去的善根沒有了，所以，智者大師才會說，你修觀的時候，要想修定修慧，先得具備好外緣。地藏菩薩教導我們，要懺悔。還不用說是修定，就是你想進入，想學習，你得先懺悔。不然你連學習的機會都沒有，就算有了學習的機會，你也進入不了，會被障礙障住。

萬一我們諸位的道友，想要修定成聖。你發願說，我要聽完《十輪經》，這部經講完了，從頭到尾沒間斷的聽完的人恐怕不多，我不敢說沒有，或者耽誤一回兩回。講《占察經》的時候，我就試驗過，以我看見的，從頭學到尾的，很少！這是什麼原因呢？業流！特別是在末法的時候，緣就是不盛。特別是自己的內障，比外障還厲害，業完了就起惑。惑就是不安煩躁，乃至於起煩惱。跟誰煩惱呢？自己跟自己煩惱，坐坐不耐煩了。修道都是這樣，不論你修哪一門，拜個懺，該沒有吧？很難了，自己發心，我定下來，最初就是規定三次，或者改變成兩次，二次後來變成一次，很難。總會有些干擾，誰干擾呢？自己的業流、煩惱流。在這苦果上干擾你，你想超脫，很難。

所以，我們要想成爲修道者，要想不造作生死業者，要想截斷生死流者，如果沒有發這個願心，又怎麼能去作呢？即使你有這個心，想要去作，中間的障礙太多了，你要怎樣克服？除了自力之外，就是求佛菩薩加持。所以我們拜懺，求他力，用自己的心力跟佛菩薩的慈悲力結合在一起，這樣子你作起來才能夠斷三流。斷了三流，你就證了，就能入聖了。

我們最初開始學華嚴的時候，二乘人，乃至想生極樂世界的，想一想沒有什麼必要，乃至認爲不學了。那是發大願，現在愈學愈恐怖，愈感覺是錯了。二乘阿羅漢果是斷了生死的，證得初果的聖人，得斷見惑，我們是見什麼生起分別，見什麼生起貪愛，距聖太遠了。說者容易，作者難。知道容易？還是作容易呢？儒家講「知難行易」，說知道很難，行起來很容易。有些事情是知道容易，行起來很難。依我看，學佛的人知行都難。但是比較起來，你必須是眞正的先知道，才能去作。這是第一步。你不知道，怎麼作呢？這個知要有智慧。你要有好多種因緣，你才能開始去知。

如果你遇到一位不是很好的師父，沒有遇到一座講經的法會，我們看見很簡單，其實很不容易！就我所知道的，我所經驗的，並不容易。你連知都不知道，怎麼去作？是不是？第一步要知道，而且在這基礎上，你得信！如果連信都不信，你怎麼會知道？因爲你進入了，你才去學。連信都沒有，你怎麼去修道？我們不說別的，看到那濟公，我們都很羨慕，他那麼懈怠，那麼好，隨手拈來便是，看那些大菩薩，無一不是佛法。但是要到達那種境界是不容易。

最初開始學，一切法都不要執著，現在我才體會到，我沒有法，不要執著法，叫我怎樣把我去掉呀？我必須得依法才能去掉我執。等我沒有我執，我再也不依法了。現在的我還存在著，一天的五欲境界全具足了，就想不要法，你怎麼進入呀？你還是在五欲界裡頭打滾！是不是這樣子呢？所以，說起來難，說起來也很容易，就是一個至誠的信解心。信了之後，你自然知道哪個好，哪個壞。你當然想趨吉避凶。明明是火坑，誰去跳呀？他已經明明告訴你，那是火坑，三界是火坑。你一定要出離。解之深者，求之切。願切，行才作得起來。你經常念無常念苦，一天所遇到的盡是苦果，不是這樣迫逼，就是那樣迫逼，剛好一點兒，苦又來了。剛好一點兒，苦又來了。

很多的道友經營商業也好，工作也好，房子都沒有問題，什麼都過得去，她失了業，收入沒有了，你說麻煩不麻煩？剛剛才好一點，家裡就出了病人，看病要錢，很逼迫的。我們現在所學的、所要修行的，就是「持來去念」，也就是我這個起念頭，出入息就是來去念，起念頭，經常掌握這麼一個也不容易。我們慢慢學，本來像我這樣講《十輪經》恐怕一兩天也講不完。學經作什麼？能用的還是用一下。我們還是在起頭的時候多講一遍，這對我們是最方便的，大家都能夠入，都能夠知道的。今天我們就講這個「持來去念」，「數、隨、止、觀、轉、淨」，還沒有講完，大家可以看一看〈六妙門〉這本書，每一個相解釋的很詳細，但是只是一切修定的入手處。現在宏覺法師講菩提道的止觀，那是依照西藏的教義，也很方便，也很簡潔，如果大家入進去了，也很容易。如果這兩個都結合起來，更好一點。

「復方便修入出息觀，即是修習持來去念。云何由念如實觀察入息出息，謂正觀察，數故，隨故，止故，觀故，轉故，淨故。應知此中，數，能造作二種事業，一能依伏諸尋伺，二能取於入出息相。隨，能造作二種事業，一依出離捨諸尋伺，二能善取入出息相。止，能造作二種事業，一能示現入出息滅，二能安住勝三摩地。觀，能造作二種事業，一能示現入出息盡，二能安住心及心所法別異觀察。轉，能造作二種事業，一能方便捨諸取蘊，二能方便趣入聖地。淨，能造作二種事業，一能捨結，二能淨見。」

修定業輪在最初的方便上，就是修入出息觀，要想修這種方便法門有六種，就是「數、隨、止、觀、轉、淨」。這個入出息觀，又叫修習持來去念。來念、去念，這個數息觀，數是數字，也就是數數，用數數的方式來攝你的心，攝你的妄念。我們初聽或者初學，感覺很簡單。你要是眞的修起來，很不簡單。你數數，就錯了。它可以有兩種數法，一種是入息數一，出息數二。一直的入數一，出數二，又入數三，又出數四。這是一種的數法。另外的數法，你可以入息出息作爲一個，一入一出作爲一個數字，一入一出作二，你就數到十數字爲止。一者是數字始，十者是數字終。第一輪數完十個，你又從頭數一、二、三、四、五、六、七、八、九、十，又這樣來觀數。

最初你感覺這樣數很簡單，你數數就錯了。如果心稍微的不注意，一者是數字錯了，二者是你這個出入息就混亂了，入息、出息就混亂了。你必須氣息調勻，既攝你不昏沈，也攝你不散亂。因爲這是修定，第一個入手處，你必須在那個靜心的觀察，不昏不散，你才能數得好。

如果你沒有用過這個功夫，最初聽了以爲很簡單，你用起來其實很難，一會兒就錯了。如果你單一數，入息數一，出息數二，入息數三，出息又數四，這樣數十個，一個字算一輪。如果是一入一出算一，那麼你這十個數字就是十個入出息。有的人感覺一入一出數一個數字，怕錯亂，他就入息數一出息數二，端看你怎麼能夠定得下來，那就是最好的，這個方便，你可以自己取。但是在你數到十個數，又從頭來。最初一開始用的時候，剛坐下來氣很粗，很浮躁，你這麼入息出息數數的，那個氣從粗就入細微，到了最後，出息入息都止了，這樣你就漸漸的入定。

我先大略的講一下。這個「隨」，前隨出入息，前隨這個數數，往前隨於這個數，往後隨止。他能起兩種作用，隨著這個出入息的數字，就可以隨著觀察出息入息來去的相。在數數的時候，你這樣子數來數去、數來數去，把這個氣息調的非常微細，漸漸的你就把希求心、攀緣心，都停歇下來。你自己能看到、自己能夠觀想得到出入息的樣子，能觀想它的出入相。這是屬於色法，屬於色相。所以你觀的是有相的，你可以把散亂心降伏下來。你數數的時候，隨著這個入息出息的相，自己能夠觀察得到。這個隨能起著兩種作用，一種把尋求的心止下來，把尋伺心降伏下來了。

因爲數數的時候，把這個散亂心降伏下來，到了隨的時候，就能出離，捨掉了這個尋伺心。這個時候，他就善取這個入息出息的相。當你修的時候，能夠漸漸的觀察。這是隨的作用。止的作用，就是隨的時候所示現的入息出息相，滅掉了出息入息相。

這個時候你就能夠漸漸入定了，安住定。等你感覺到能漸漸入定的時候，那就是觀照，它能夠告訴你出入息的息已經盡了，完全不動，滅盡了，能安住你的心。轉就是把這種相降伏的意思，能捨掉這個色法、色蘊了。出入息的相就屬於色蘊，他漸漸地斷煩惱了，能入聖地了，就是斷煩惱了。感到靜的時候，他就能夠捨掉這個結使，捨掉貪瞋癡慢疑身邊戒見邪這十使煩惱的結使。捨了並不是斷，還未到達斷的境界。能斷的時候，可以產生正知正見，這就叫作六種方便。六種方便，就是從這個數，「數、隨、止、觀、轉、淨」。智者大師作〈六妙門〉的時候，他就改用「還」，還原來的清淨。

每一種的方便都有兩種象徵，一個粗的，一個細的。當你初修的時候，數數的時候，看你自己怎麼選擇。我在用的時候，我是念地藏聖號，我是一個一個字。入息，「南」字，出息，「無」字。完了，再入息，「地」字，再出息，「藏」字，再入息，「菩」字，再出息，「薩」字，我是六個字分作三次。入，出，入，出，入，出。念佛十次，我整整是六十個字。在初的時候很粗，要集中精力，稍爲一鬆懈就錯了，一用上精力的時候，數數數數數，漸漸那個氣息就降伏下來了，心裡頭就靜下來了。既不能打妄想，也不能昏沈。如果思想稍一不注意，你所觀照的就照不住了，就錯了。你最初感覺這樣入太複雜了，可以簡短而入息。先從入息數起，入息一，出息二，那麼，又入息三，又出息是四。那麼，入出息五輪就是十個字。

依照我個人的經歷，如果你能數到五百次的時候，不論你行走也好，坐著也好，有時候你坐那兒數數的，你會像個傻子似的，就呆在那裡。因爲你專注那一境。經上說，專注一境也能攝心，感覺粗的已降伏，就進入細的。

細的時候，你更要注意。細的容易作什麼呢？容易昏沈，一定要觀照出入息。但是必須注意，你注意了，專注一境，數字就不會錯。這樣一切妄想心，那個尋求觀察的心就會停歇下來。這個停息下來，就是隨的伏。你所取隨順的這個相就是出入息的相。

在隨的時候就能夠捨掉這個出入息的相，能離開了，離開就是捨了。那就是隨的涵義，能捨掉的時候就是隨的涵義，也就是說把這個出息入息的相捨離掉了，把那個粗的尋伺相捨離掉了。但是這個時候，只剩下很微細的出入息相。這個相必須到止的時候，這是隨的情況下，必須到止的時候，你才能夠入定，入了定，這個入息出息就沒有了。沒有了，就在定中，不過，這個定還不是大定。

在你止的時候，你示現的出息入息這個相已經滅了，三摩地就是定。在你初得到的時候，感覺非常的歡喜。這是一步一步作來的，不能超略的，不能跳越的，你必須一步一步的作。我們經常說定能生慧，這個慧是照的意思，不再去分別，再去找，那一找又落到前面的尋伺裡。不是那樣意思！它是照了，照了它，觀察再觀察，照了它，這個出息入息沒有了。這樣，沒有出入息，一直到這個相也沒有了。先是伏尋伺，後來是滅出入息相，等到隨的時候，直到這個出入息相漸漸的都很細微很細微，到了沒有的時候，到了止的時候，就完全盡了，那是捨離了。這是盡了，這個時候你知道心已經安住於定境了，專於一境，這就是安住。心、心所，別意觀察，心就是心所法。我們學百法，知道色法有十一，心法有八個，心所法就五十一個。觀察的意思不是去分別、去找，一找又落尋伺，而是照了，照了你的煩惱，被你降伏了，昏沈、散亂，這都是心所法裡頭的。隨著你的意識分別所起的六入裡頭，耳聞聲、眼觀色、舌知味，你照這些六根門頭，前面的現象都沒有了。這可不是呆子，也不是睡覺，要觀察。因爲你在定中生起了慧心所，這是初步。

「如是六種方便，修習入出息觀，便能隨順觀五取蘊。所以者何？如是入息出息自性名色取蘊，如是入息出息領納名受取蘊，如是入息出息取相名想取蘊，如是入息出息造作名行取蘊，如是入息出息了別名識取蘊。

如是所說五種取蘊，各各別異，互不相似，新新非故，無住無積，不可言說，如是觀察五種取蘊，能除三行。若能如是究竟隨觀三種行盡，便能於此諸有識身六種境界，究竟隨觀我我所執業無明愛因田覆潤一切皆盡。」

這六種方便是入定的初步方便，別認爲這個止是勝三摩地，這不是大定。只不過是百八三昧當中，初入的初喜淨，也就是你最初入手修行的時候。等到轉的時候，再開始，再捨蘊，蘊是含藏。取蘊了，這就是所入的聖地。如果初果的聖人斷了見惑，大致就是這樣子。這個時候，就深了，就能捨結使，就不追求，但不是斷，跟前面那個隨的捨字是相同的，他就得正知正見了。清淨法眼淨，就是六種方便，修出入息觀的情況。這個時候，就能夠隨順進一步修。那麼，它解釋了這個，進一步修入息出息的體，也就是入出息的自性。這是色法所攝取的，叫色取蘊。那麼蘊藏著一切的色，到此，就止息了。入息出息，一出一入，這個領受的涵義，這叫領受，也叫受取蘊。

入息出息的取相，取相就是思想的想，叫想取蘊。如是的入息出息造作的，這個造作就是運轉的意思，運轉這個，叫行取蘊。如是者入息出息了別了，入、出、入、出，這種了別就叫識取蘊。識取，這個叫五取蘊。五取蘊就是色、受、想、行、識。這個取的涵義，就是你所具足的。五取蘊就是具足的，我們每一個人都具足了。只要是有情的，都具足了色、受、想、行、識這五蘊。這五蘊各各都是不同的，不是這個相似那個，這個時候是不相似的。往前進一步，前面就捨掉了，就叫後。有粗的五取蘊，有細的五取蘊。這是不住，不住者就是「新新非故」，不是舊有的，而是新新的相交替。所以他不住，是不是積聚在一起呢？不是的。想用語言清楚解釋五取蘊，這是不可言說，言說是說不清楚，只能夠在你觀照的時候去照。

你能夠到達這樣的情況，就得到「三行」。哪「三行」呢？就是福、罪、無作。無作就是無動的意思，也就是不起福的念，也不起罪的念。「三行」，你能去除這個福、罪無動，也叫無記，非罪非福，無記性。要是能夠隨觀這三種的行，盡了，現在的身心就清淨了，識就是心，身就是身體。身體跟著這些色法，心就是心法，這個色心二法，六根門頭都清淨了。在這個時候就能夠進入我執，就漸漸深入的觀無我。破除無我，就能進入我所執的法，能執的是我，我所執的是這一切境界相。執著境界相呢？有無明、愛因，無明愛因的田，覆蓋一切罪業，所生的罪福都盡了，這是初步的。

「如是修習四種念住皆得圓滿，乃至修習八支聖道皆得圓滿，如是乃至修習十八不共佛法皆得圓滿，如是乃至修一切種無生法忍、首楞伽摩三摩地等，皆得圓滿，如是修習持來去念，入諸靜慮，名住正法勝義有情，名爲眞實修習靜慮，名爲眞實供養三世諸佛世尊，名一切佛心中之子，從佛口生，是法所成，是法所化。」

這個修完之後，才能進入修習四種念住。起觀四種念住，就是觀身不淨、觀受是苦、觀心無常、觀法無我。從「數、隨、止、觀、轉、淨」工夫下手，這個時候再起觀四念處，就能很快的進入，很快成功。圓滿就是成就的意思，最初都是從數起的。這就要在你定中進一步的思維修。經過這樣四種念住都圓滿了，八聖道都圓滿了，乃至於修十八不共佛法都圓滿了。乃至於修一切種無生法忍，也就是一切種智。無生法忍就是忍無生法，無生法只有一種智慧，得到了首楞伽三摩地。這都是超略的說。若要詳細說起來，就這麼一個圓滿的定。這是前面的第二個佛輪，就這麼略為解釋一下。

修「持來去念」，就是修你的念，由這個念，修念入於靜定，「住正法勝義有情」。正法勝義是指什麼呢？是指第一義說的，是指實相說的，是指眞實不變義說的。這個有情已經成就了，能夠眞實的修行靜慮了，眞實修行定。

八支聖道就是正見、正思惟、正語、正業、正命、正精進、正念、正定。正見，對佛法不產生邪知邪見，解釋得很正確，遠離了唯神、唯物、唯我等妄見。雖然是二個字，正見卻是很不容易產生的。我們好多人希望有神通，希望有感應，或者是我執我見很深，凡是我，擺到第一位的就是我見，我見不是正見。在唯神、唯我、唯物上，總是把心跟境分作兩個。心跟境分作兩個，唯境就是唯物質，唯物就是物質。不要把物質擺在第一性，或者把唯心擺在第一性，都是錯誤的。這才是正確的解釋佛法。心外頭沒有法沒有境，境外也無心，也就是法外無心。這個解釋起來很深的。我們說是產生正見，不產生邪知邪見就好了。看問題，看得能入理一點。這個理，要解釋的也很多。簡單說，即是眞心（即是眞理）。

我們的思想活動，可能離不開三種，就我們作人來說，一個是物理，一個是心理，還有一個是生理。很多人是根據生理，一切物質生的時候，他有一種道理的，物理一切物質的變化，生住異滅，他是有規律可尋的。心理，就是我們自己心的思惟，也有一定的變化，也有一定的規律。但是要統一生理跟物理、心理並不容易，就像一個國家立了法律，必須了解國情，人的性情，人跟人的家族關係，六親眷屬的關係，國家的關係，你不能不照顧。所以，在立法的時候，一定要注意人情。法立得不合人情，這個法不能成立，不成法律。

所以我們經常講，天理、人心，還有國法，也就是情、理、法。講道理，道理是可以講的，但是要合乎人情，合乎道理，合乎國法。三種違了一件，就不能成立。立這個法，完全違背人情，道理上是說得通，但是人情上說不過去，你會遭到全民的反對，那也是行不得的。合乎情理，在情理上得這樣作，法律不容許。不管你有什麼困難，國家必須要有統一的法律，天理、國法、人情，這三個你得懂。懂得了，你再去研究生理、物理、心理。

像我們剛才講的正見，佛引導衆生都有方便善巧，想讓你達到眞理，達到眞實境界。他先依照情說，每個人性情不一樣，爲什麼要觀機說法呢？他的前因不一樣。前因就是理，他現在的思想邏輯又不一樣。佛對各方面都能觀察得到，對他一說，他就能開悟了。我們講正見，第一個要無我，我執太重，談不到法執。我執未斷的時候，怎能談到法呢？什麼事情都把自己擺到第一位，這不是正見。凡是有我執的，就不是正見。我只詳細講一個，其他就不能詳細講了。

正思惟，妄想、貪欲、希求，那是不正當的。我們希望永遠不生病，這是不可能的。只要你有肉體，就是由地水火風和合的，由諸緣所和合的，想無病，任何人都不可能的。釋迦牟尼佛也會害病，也示現害病。你要是有永遠不生病這種思惟，那是不正確的思惟。還有貪戀、貪欲，這都不是正思惟。或者我們希望多聞法，增加我們的慧命，多開智慧。以智慧爲我們的生命，這就是正確。使我們修道的道業，早日成就，這個思惟是正思惟。要有正見，才能產生正思惟。你的見解有沒有智慧？從你對一個問題的看法，就會表現出來。

正語，這個容易懂，不要胡說，不要毀謗人家，不要說戲論，不要說惡口，不要挑撥是非。這個錯誤容易犯，在那兒說人家是非，你自己就在說是非，大家想想看，是不是這樣？那個對，那個不對，對就是是，不對就是非，張三那個時候作的事是不對，李四那個是對，你這幾句，就是說是非，說是不是，是非曲直，要依照什麼？依照無我，依照正確的見，正確的思惟發出的語言，這就是正確。像中國話，非禮勿言，非禮勿視，非禮勿動，那個禮怎麼講呢？依照佛教講，那個禮就是合乎法，合乎佛所教導的，那就是禮。正語就是合乎法的，合乎佛所教導的。不妄言，不綺語，不兩舌，不惡口。這是大前提，四個標準。但是中間還有很多，那就要你自己去觀察。

正業，凡是合乎佛法僧，合乎佛所教導的，那就是正業。但是在社會上你所作的職業，你所從事的業務，一個是佛所教化的戒法，一個是國家的法律，如果這兩者相互抵觸，國法跟佛所教導的戒法相抵觸，要遵從國法。佛是這樣教導的，遵從國法的時候，你不算犯戒。你遵從戒法，可是爲國家所不准許，在你現在所處的國土，你不能這樣作，你就應該放棄，要隨順國法，這才是正當的行爲。這個時候，你只要不違法，不傷害別人，不爲自己利益打算，我們認爲這就是高尚了。各各的國土，各各的種族，各各民族的生活習慣，所有的高尚情操都不一樣的。我們舉兩性關係爲例，很多國土，很多的民族，看法不一樣，國法也不一樣。

依照佛所教導的，凡是邪淫的，你是犯淫戒，不該你所得的，你非法所得的，犯戒，犯偷盜戒。乃至於殺人，犯殺戒，菩薩戒是殺畜生也跟殺人同樣犯戒。比丘戒比丘尼戒，或者是八關齋戒，優婆塞優婆夷戒，那個殺戒純是指殺人說的，你作了也不失戒。八正道，看在什麼地方講，看對那些人講，這也是對機的。對菩薩講就完全不同了，對凡夫講又不同了。要懂得這個道理，既然是八正道，就是你說的話，要合乎菩提道，我們得這樣的解釋，這是深一層的。

正命，如果合乎戒律的標準，勇猛精進的去修道，去修行戒定慧，以這個精進，來保持你的活命，這是正命。

這正命是自己尊重自己，有的時候爲了修道，寧捨身命。那是邪命還是正命？我們看到很多道場，峨眉山的捨身崖，《法華經》上法喜菩薩燃身供佛，這是正命還是邪命？看你勇猛精進到什麼程度，也看你自己的修道，認識到了什麼地位？有些人因爲持戒而死，不爲破戒而生，看你怎麼理解。主要是以你的心，以及當時的觀念，我是這樣理解的。如果說爲了使三寶種子不斷，或者委曲求全，你就是菩薩，因爲你要護持三寶不斷，不講究一切的細行。但是，單一個戒的現象，這不能作爲表率，不能作爲常法，佛制的戒律才是常法。所謂的正命，就是不爲邪命所活。譬如說觀天文，觀地理，星相宿命，醫方，但是菩薩有五明學，他要作這個事，不作這個事是不對。他方便善巧度衆生，不過你若是比丘、比丘尼，作的時候，那就是邪命。如果你受菩薩戒，也受比丘戒，你就不能作。所謂「正」字，就有這麼多的簡擇。

最後，正念就是要我們遠離一切顛倒妄想。所謂不失正念者，是念念不忘三寶。還有入信位的菩薩，覺知前念起個不好的念頭，後念不起，馬上就糾正了。有一種是犯戒，他能懺悔，懺悔了又還復清淨。有一種他根本就不犯，持得很清淨。但是這兩種，都是清淨的。「正」字，就是發出眞正的智慧，從定上使自己的身心達到圓滿的人格。像佛弟子的人格，依照三寶所規定的，一切弟子的人格，我們要這樣來解釋。八正道，我簡略的這樣解釋，八正道的解釋有很多種，看你到什麼地位就解釋什麼地位，就說什麼話，一般而言是這樣的解釋。

一切種智，就是「一切種」。三智是一切智，道種智，一切種智，種子是生產的意思。一切智，是聲聞緣覺所執之法總的智慧，是聲聞緣覺所執的一切法。一切智，就是斷了見思惑，斷了見思煩惱，可是塵沙無明還沒有斷。道種智，是指著菩薩說的，他能夠知道一切法的差別之相。一切種智，就是指佛。在這個三智之中，一切種智能夠知道一切衆生的因，我們舉每一個衆生，他能觀見他無量劫以來，從什麼時候種的善根，他信了佛。一切種智，又稱爲佛的智慧。只有成佛了，才得到一切種智。成了佛，具足一切智慧，就稱爲一切種智，知道一切的法，一切成道的方法，知道一切衆生的因，而且知道他應受什麼法，就給他說什麼法。那麼也就知道一切衆生的差別智。

「一切種無生法忍」，就是一切智。「首楞伽摩三摩地」，就是首楞嚴三摩地，一百零八個定，能夠成就圓滿了。最初修定的時候，是修持來去念。「入諸靜慮」，由這個初始修持來去念。入定的，入到住靜慮。這以下所有的解釋是所取的定。住在正法勝義，這類有情就是眞實修行靜慮。眞實修行靜慮，就達到了。就從一切智、道種智、一切種智，得到這個種智者，這才叫眞正的供養三世諸佛世尊。這是包括菩薩種性說的，是指道種性說的。如果是這樣的修行，修行到這個程度，才是能夠成道的諸佛佛子。「從佛口生」，從佛口生是佛所說法，口所說法，他依著法而成道的，那麼就是他所生的身，就是以法爲身，是諸法所化。

「或有菩薩如是修習漸漸退轉，乃至漏盡成阿羅漢，具六神通，或有菩薩如是修習漸漸增長，功德圓滿，成大菩薩，乃至十八不共佛法，一切種智修習圓滿，此人不久當得無上正等菩提。善男子，我以如是諸業法受因果報智，觀察三世諸佛法眼安立有情，於此十種修定業輪，令其修習。善男子，是名如來修定業輪。」

有的菩薩證得滅盡定了，得了寂靜定，就不再向前修行了。所謂退轉者，就是他到此爲止，也算是退的意思。「漏盡」，漏盡是什麼盡？他的惑業，見思惑漏盡了。漏盡了，就是他不漏了，不再漏落於三界，成就無生。阿羅漢又翻「無生」，無生就無滅了。阿羅漢自己認爲他所證得的，已經無生無滅了，跟佛沒有什麼差別的，他就不向前希求。這六種神通，天耳、天眼、他心、宿命，他已得到漏盡通。至於天人的報通，或者鬼神的報通，沒有漏盡，因爲他還有見思惑存在著，發大心，發菩提心，他修止觀的方式，這是向前進修的，並不會到此爲止。他令一切眾生都能達到這種地步，已初發意的菩薩，並沒有跟阿羅漢平等，必須到十地菩薩才能跟阿羅漢平等。他是大心，勝過小乘。因為菩提心沒止境的，他不會停歇的，一定要成佛的。所以，有的菩薩，他漸漸退轉了，感覺佛道長遠，生起退卻之心。那麼，他就證得阿羅漢果，入般涅槃。大心的菩薩漸漸增長他的功德，一加上「摩訶薩」，就是大菩薩。十八不共法，內容很長的。剛才講的一切種智，修行圓滿了，修習成功了，他就證得無上的正等菩提，成就阿耨多羅三藐三菩提。

「善男子」，這是佛答覆梵天所說的。「我以如是諸業法受因果報智」，「諸業」就是所有的造作，造作什麼呢？就是修定的方法。前者是因，後者是果，直至究竟報德的一切道種智，究竟圓滿了。「觀察三世諸佛法眼，安立有情」，這是用佛眼觀察一切，洞察一切，過去現在未來三世諸佛的法眼，使這一切有情，一切眾生，在修定的時候，令他們修習，這是十種修定的業輪，「令其修習」。但是這裡是注重「持來去念」。這一段經文注重修持來去念的修習，「是名如來修定業輪」。修定業輪，如果更深入一點的，在《占察善惡業報經》講止觀，就是深入的。第一種佛前面所標的三輪，一個是修定業輪，一個是修習誦業輪。

「善男子，云何如來習誦業輪？謂諸苾芻，或苾芻尼、鄔波索迦、鄔波斯迦，或復淨信諸善男子，或善女人，善根微薄，依世俗諦，根機未熟，我當安置如是有情，令其習誦。初夜後夜，精勤無怠，若諸有情求無上智，我當安置純淨大乘，令其自讀，或教他讀，令其自誦，或教他誦，令其自說，或教他說，於大乘中，令其自習。或教他習，爲令自身及他身。中大煩惱聚皆除滅故，爲令證得無上智故，爲除一切有情苦故，爲令趣入無畏城故。」

第二個業輪就是怎麼樣學習誦、學習讀，也就是讀誦大乘。如果修定，沒有這個善根，定不下來，修不成，你就多讀誦經典，或者讀誦大乘經典，或者讀誦聲聞緣覺乘經典，三乘經典都可以。如果你是三乘同時並進，也可以。我感覺到，佛是從大乘說到中乘，說到小乘，從菩薩，完了，說到緣覺，緣覺完了說到聲聞，看這三乘，你是哪一類根基，主要是令你離苦得樂，斷除煩惱。目的就是他的宗旨，說是四衆弟子，就是比丘、比丘尼。這個近事男、近事女，「鄔波索迦」就翻「近事男」，「鄔波斯迦」翻「近事女」，就是四衆弟子，在家二衆，出家二衆。還有，他也沒有歸依，沒有受法，或復有清淨信的善男子、善女人，由於過去世修定的根基微薄，過去的根基不厚，就要依照世俗諦，依照眞諦義。

前面我們講的，大概是依眞修習的，習定是依著眞的，初步也是世俗。而漸漸進入眞的，他是觀心，他是從理性入手的。這兩個對照起來，定是從理性入手，他又說，這個是依照世俗諦，根基未成熟。這些有情就讓他們學習習誦。習誦也有一定的要求，並不是我們念一段經、念一部經，就算得習誦。我們念得太少、太短，佛令他們習誦，是初夜、後夜、中夜，初夜四小時，中夜四小時，後夜四小時，就是十二個小時。十二個小時裡頭，除了中夜的四小時，可以休息一下，可以不讀誦。另外初夜、後夜都要精勤無怠，都要習誦。

因爲他的根基很淺薄，他發的心很大，願很大。過去他的種子有大乘的根性，所以他懇求無上智，無上智就是想要達到成佛。佛說，我就安置他純淨的大乘，學讀大乘法，念大乘的經典，令他自己讀，還要教人家讀。你要是發大心，自己讀也教人家讀。自學，人家也學，有兼度衆生之意。或者自己誦，或者誦《法華經》，或者誦《般若經》，要是《般若經》不能全部誦，就誦《金剛經》、誦《心經》，自誦兼著教別人也誦。自己說，或者教他人說。或者自己研究、學習大乘經典，也教別人學習。這樣子令他自己及他人用讀誦大乘經典的方法，來斷煩惱。

學佛的目的，不管深淺，習定習慧，從慧方面入手，或從定方面入手；從慧方面入手，也得習定。讀誦大乘裡頭含著有定的義，不是那時擺到這個次位，習定的時候，定擺到第一位。要是定慧這兩個截然的劃分，我只學習定不學慧，是不可能的。習慧不習定也不可能，必須定慧均等。但是按次第說，定能生慧，慧也能入定。

讀經的時候，讀到相應處，沒有能讀所讀，沒有自他之相，這也是一種定境的功夫了。但是，修定也好，修慧也好，讀誦大乘也好，「持來去念」也好，目的都是斷煩惱。因爲昏煩惱亂不是散亂，就是昏沈，反正有煩惱，什麼也成不了，心不安怎麼會成呢？我們心定不下來。若沒有定，你讀誦大乘也定不來，你在那兒對著經本念，不知道念到那裡去。念念自己還找不到，念得你一瞌睡，啊！念到那裡去？不知道！或者一個妄想就過去了也錯了。

我感覺到自己並不是用功者！眞正用功者，幾十年也該得有個入處，現在還不行。我是說老實話，不論修定也好，只要是學佛的佛弟子，你必須得斷煩惱。煩惱有好多呢？太多！我從〈百法明門論〉上抄下來，跟大家說一說這些煩惱。這是很有用處的。

「大中煩惱」，「大煩惱」就是根本煩惱，是隨著你的心，跟你的心所作伴的。只要一起心動念，煩惱就跟著來，你是離不開它的。第一個沒智慧，無明愚癡。愚癡，一般是邪見的代名詞，或者是無明的代名詞，我們具足好多。放逸包括了很多，我們想一想誰都懂。放逸、懈怠，在中夜、後夜都讀誦大乘，白天你幹什麼？去放逸？不會的，就是一天二十四小時，佛都要你讀誦，或者習定，你不持戒律，自然就持了。我們愚癡、放逸、懈怠、不信，爲什麼精進不起來呢？信心根本不具足，對大家所說的不相信，不論誰提出來都反駁。不信，我還坐這兒幹什麼？這信是有限的，現在我們的信不堅定。因爲信心不猛利，精進不起來，是這樣相對來說的。

昏沈掉舉，〈俱舍論〉所指的大煩惱，就是這六種，包括貪瞋癡慢疑。惡見裡頭生出來六個，乃至於身見、邊見、邪見、見取見、戒禁取見，這就是十使煩惱，這是根本煩惱。大煩惱可能是指根本煩惱。

「中煩惱」又是什麼呢？可能是指隨煩惱。「中煩惱」，指二十個煩惱，二十個煩惱就是我所說的大隨、中隨、小隨。大隨煩惱有八個，這也是根本煩惱的隨煩惱之一。不信、懈怠、掉舉、昏沈，隨著心所的。根本煩惱是隨著心的。心法有八個，眼、耳、鼻、舌、身、意、末、阿賴耶，這叫八個心識。心法有八，心所法五十一個。我們這裡舉出來只有二十個，大隨煩惱八個，就是前面說過的。不信、懈怠、掉舉、昏沈、放逸，大隨裡頭八個，再加失正念、散亂、不正知。不正知，是大隨煩惱，大隨煩惱表示重。

中隨煩惱很簡單，第一是慚，第二是愧。我們往往把慚愧合在一起，其實，慚是慚，愧是愧。怎麼解釋呢？慚，自己心裡過不去，有慚於己，心裡過不去，感覺就是作的不對，不該或者犯戒也好，或者作什麼也好，乃至於是作錯的事，心裡頭生慚心。愧是對別人，對三寶，對道友，對別人，有愧，有慚於心，有愧對人。慚愧，就是中隨煩惱。

中隨煩惱，還有十個，大隨八個，中隨兩個，合起來就是十個。還有小隨煩惱，十個，總共有二十個。小隨煩惱，忿、恨、惱、覆、誑、諂、憍、害、嫉、慳，十個。

忿，怎麼說呢？不平。我們講不平則鳴，氣不過，通俗說就是氣不過。這件事你氣不過，不論是出在別人身上，或者你看一個境界來，你感覺不平，不過只是你心裡想。恨，那就有仇，認爲別人害了你，你就恨，恨就深一點。惱，氣惱是亂的意思。每一個名詞裡頭都有一個涵義的。覆是覆蓋的意思，因爲把你蓋覆住，你的智慧發不出來，這個覆就是你的行爲，或者心裡的障礙，讓智慧發不出來。嫉，是嫉妒。自己慳貪不願意捨，看見別人布施，心裡起嫉妒。他都出風頭，顯不出我，心裡頭總有這種涵義，看見別人作好事，他不隨喜，他生起嫉妒。你作吧！他又不作，就是對於財物的慳貪。

慳、嫉，罪還算輕一點。特別是對法，他不給人家講，別人講了，他又嫉妒。因爲，他有慳貪心，對法慳貪墮落的時候，墮餓鬼道很慘。這類故事很多！對法不要慳貪，不要嫉妒，看見人家都要隨喜，不要慳貪。爲什麼要慳貪呢？慳跟貪怎麼說呢？他把說法拿來跟世間的交換條件，等價了，平等看待了。我跟你說法，你得供養我，看你籌碼夠不夠，夠了我才說，不夠就不說。

對於學法的人，要勸人讀誦大乘，他自己不勸人家，看別人勸人讀，他在那兒生嫉妒，只有你好，只有你強。他在這兒說嫉妒話，乃至於說破壞話。慳，他不肯作，我傳習你個法，你供養我好多。有的上師是這樣說的，但是人家那個不同，得依你自己的心力來衡量。有的上師就這樣說，你要拿好多錢，好像在西藏講，你牽一匹好馬來，我就傳你這個灌頂。我曾經問我師父：「這是什麼意思呢？」他說：「這個人慳貪，對那匹馬愛得要命，他求法能得到嗎？把馬牽來給我，我再給你傳法，他就捨得。他一修，他就得成，我不要他的馬，轉給別人」。

但是，你不是那個地位，也沒有他心通，或者沒有這個德。你不給人說，或者跟人要一定的價錢，得供養好多金銀財寶，這幹啥！大家看過密勒日巴尊者傳，他的師父馬爾巴要求他供養全部東西，完了才給他傳法。但是，我講的是慳，沒有本事，他不肯捨，不肯供養法。誑人家，沒有信義。誑言，諂媚，你很容易看到。凡是一個人，對於比他低下的，如果驕慢的時候，對於上面他一定諂媚。對下驕，對上一定諂。見著有權，或者有財，他腦殼都搭到底下去，腰都陷下去。就是這樣的意思。諂媚，好聽的話他都說盡了，在電視上都可以看到。現在的人，這樣子很多，學佛的人不應當諂媚。

誑諂，不說老實話，這裡頭分為有意、無意的。你唯利是圖、為名欺騙人家，你有目的，這個誑罪又大一點。隨便跟人家說笑，或者說笑話說著玩，這就輕得多。這都屬於打妄語。但這個不是，這個誑是有意的，為名利故。諂媚也是為名利的。

害，就明顯了，或者害人，但是他以為是害人，其實是害自己。凡是害人的並未把人家害到，反而成全了人家。你一害，反而使他消災了。大家讀過《金剛經》，要是有人被人家輕賤，你的先世罪也被消滅。或者你被人害，求之不得，他害了你，你的前世罪也消滅，本來該下地獄的，他一害你，連地獄都不下，就把那個罪也給抵銷了。

慢是憍慢，這個憍慢的憍，有很多種講法。慢有幾種？有十種慢，有十種憍。我們大概提一提，他本來就沒有本事，本來就不行，還感覺比別人強。這類的人很多，他的知識本來沒有好大，卻認為自己很不得了，比誰都強，對誰都看不起。甚至他認為釋迦牟尼佛都不是真的，我才是真佛。這樣的人確實是有，這樣的和尚也有，這樣的喇嘛也有，這樣的居士也有。現在這個時代什麼都有，有人說：「雖然在拉薩，我們也能作出滿漢全席！」我說：「你還能作出四眾弟子的全席？」他笑一笑。這個意思就含什麼義呢？現在這個時代，忿恨、惱覆、慳嫉、誑諂、害憍，我們有幾個？二十個隨煩惱，都是我們的煩惱。有這些東西，怎麼能開悟？修行得下去嗎？不論讀誦大乘也好，習定也好，都障住你，你怎麼能進入呢？很不容易進入。

不過，這都是屬於我們的毛病。佛說我們的毛病太多了，大家必須自己對照一下，不要來這裡聽好聽的話，《十輪經》很少好聽的話，愈往後愈複雜，這只是大概說一說我們的毛病。大種煩惱，後面會一樣一樣地指出來，指出我們現在所產生的過患，如果除掉這個過患，就好了。你修定也能進入，讀誦大乘也能生慧。讀誦大乘，你在那兒讀誦大乘經典，入定了，或者看見聖境，讀〈淨行品〉看到文殊菩薩，那就差不多。讀〈普賢行願品〉看到普賢菩薩，讀《地藏經》看到地藏菩薩，讀〈普門品〉看到觀世音菩薩，是眞的？是你的心變化的，因爲你的心定下來了。你讀經，你會生起的，這是幻境，別以爲是聖境。如果你略爲生起我見，一執著，「我還不錯，我能讀到，能感應菩薩現身！」這就是憍，馬上就招煩惱。那是幻境，如果你不執著，照樣讀你的經書，現也好，不現也好。像聞喜菩薩似的，你是你，我是我。文殊菩薩給聞喜現身的時候，給他一照理。他說：「文殊是文殊，聞喜是聞喜，你不能代替我。」得有這個志氣。所以，現了什麼境界，不執著，該作什麼本行，怎麼樣修行，你就怎麼修行。

入定的時候，你也會看到很多的境界。特別是剛開始修行的時候，佛菩薩很靈，你求什麼好像都很相應。信久了，好像佛菩薩愈來愈遠了。並不是佛菩薩遠了，而是你的心起了變化。像我們出家人，出家一年佛在眼前，出家十年佛上西天。過了十年，他不知道了，佛沒有了。什麼原因？學法之後，生起了很多煩惱，本來是聖事，你把它變成煩惱。在俗諦還不夠，入了空門，可是不空。如果不空，還會增加一個空，虛空的空，那個空很厲害，使你墮落的很快。「沒有關係，空的！」把因果報應全部一筆抹煞了，他不學佛還好一點，沒有那麼大的膽子，學佛之後，膽子大了。「佛說的，空的。」所以，他什麼事都敢作。作了之後，可就不空了。等到受苦的時候，肚子痛，腦殼痛，他就空不掉，一點也空不掉。他就知道厲害，所以要老老實實的學。

前面我們講到習誦業輪，講到「中大煩惱聚，皆除滅故，爲令證得無上智故。」我們再重覆一下子。前面講修定業，修定，這裡講習誦業。大家恐怕是習誦的多，修定的少。因爲我們讀《金剛經》，或者讀《彌陀經》，習誦就是讀誦大乘，一般人讀，就是照著字念一念就好了。有的時候，時間很匆忙，有點像趕工似的。在那個情況讀的時候，你很不容易進入。我說不能進入，就是習誦的時候，不能夠隨著經文的道理入觀，只是照著文字念一念，這樣的習誦，功力就比較差。這種習誦，斷煩惱就有點困難。

習誦業跟修定業是相等的，如果你能夠至心的讀，例如讀〈普門品〉，要是能聽過，講過的更好，沒聽過講過的，或者聽哪位師父說讀〈普門品〉，有好處，你就請一本〈普門品〉，就這樣讀。沒有師父傳，沒有跟你講怎麼讀，你所得到的效果就比較差一點。為什麼？誦業輪上得加個「習」字，「習」字就是學。你得學習之後，再來讀。

你在習誦業輪的時候，就是我們讀誦大乘的時候，不要懈怠，初夜後夜，在我們現在的這個末世，以衆生身體的情況恐怕是支持不了，大家只是讀了，或者〈普門品〉或者〈普賢行願品〉，或者《藥師經》，或者《彌陀經》，讀一部經就好了。那就不用初夜、後夜。時間的問題，不太大。

在讀的時候，一定要作個儀式。總要有座香爐，要點炷香，同時要隨你力之所及，供點花，多了不可能，一朵也可以了，你那個小花瓶，裡頭擱點水供上一點花，點上一炷香，這個儀式該要有。經本擺上，你要先叩上三個頭。叩完了先上，打開經本，你要沈靜一下。完了，要靜一下，要觀想一下。心靜下來，打開經本就念。念，必須是字字了了分明。初念的時候，更要了了分明。如果你想深入一些，還要隨著經文入觀。

你若是讀〈普門品〉，〈普門品〉是讚歎觀世音菩薩功德，讚歎觀世音菩薩說，你遇到什麼災難，只要一念觀世音菩薩，觀世音菩薩就能救苦救難。經文上是這樣說，你要知道，念觀世音菩薩要至心，不至心不會來。如果你會修觀的，念〈普門品〉的時候，你觀想爲什麼觀世音菩薩發這麼大願？我也要學他，讀誦他過去所作的事情，也就是故事，那就是觀世音菩薩他過去所作的事情。你讀他，也要學他發願。

誦經的時候，要把「觀」加進去，效果就大，那樣才能斷煩惱。有的道友們曾經這樣問過我說：「誦〈普賢行願品〉，已經誦了幾千部，每天誦一部的話，我誦了十幾年，但是，一點兒效果都沒有。」我說：「你是怎麼誦的？」他說：「拿著經本念就是了。」對不對呢？對。我說：「你所說的效果是要求什麼效果呢？你最初發的是什麼願？」在習誦的時候，你得發願，你讀哪一部經，或者讀《地藏經》，或者讀〈普門品〉、〈普賢行願品〉，那就隨順地藏菩薩發願讀《地藏經》，你讀〈普門品〉，就隨著觀世音菩薩發願，讀〈普賢行願品〉要隨著普賢菩薩發願。

你這樣誦，效果就大了。你如果能夠瞭解這部經的涵義，誦的時候，要是不起執著，沒有能誦的我，也沒有所誦的經，念經時讀誦，你的心跟經結成一體，你的心跟觀世音菩薩結成一體，你讀哪一部經，就跟哪一位菩薩結爲一體，那就叫入了不可思議的境界，這就是你讀經的一個方式。

讀完了經，一定要迴向。開始讀的時候要發願，讀完了要迴向，過程一定得作，這就叫修行。你讀經，就是在這兒行菩薩道！就是修行！我自己坐在那兒念，我怎麼行菩薩道呢？你讀經的讀誦功德，加持迴向給一切衆生，特別是三惡道的衆生，你發願希望菩薩加持，度脫它們，免除它們的災難。迴向的意思，就是把我們心裡的力量，我們所作事業的力量，所得的報酬，都拿去給他們。像我們打工，把打工賺來的錢，供養三寶。完了，看見窮苦的衆生，布施給他，這種功德是很大的。但是，你不知道在讀誦經的時候也如是，你所得到的報酬就是菩薩加被你，三寶加持你。希望三寶加持一切衆生，無論有緣、無緣，這樣你在讀誦的時候，才能斷煩惱。

習誦的時候，能夠除滅中大煩惱，得到無上智。否則的話，你照著經文，只念那個字，你是得不到的，讀的時候、念的時候，要加上觀想力，這樣子才能夠得到無上智。因爲大家修定的少，念《藥師經》是爲了消災免難，減除痛苦，使我身心健康不害病，乃至於已經有病了，使他除癒，菩薩加被除癒。你讀《藥師經》也得會讀，同時你在讀的時候，隨經文的意思入觀，定跟慧兩者是相結合在一起的。你在讀的時候，如果沒有雜亂心，你讀讀會入定的。這可不是睡覺，讀到昏沈也像入定一樣，那就混淆了。所謂入定的意思，例如你讀《華嚴經》，你會入到華嚴境界。

過去有位老和尚就是這樣，他是在定中讀，速度很快，怎麼樣快呢？他是從天王殿到大殿的路上就讀了一部《華嚴經》。大家知道《華嚴經》有八十卷，他才走那麼一兩百步，就讀完一部《華嚴經》，他是在定中讀的！要普遍的讀，那就是一即一切。後來侍者提出問題，不相信他，就找了八十個人，一人拿一卷，八十個人聽著他讀經，拿第一卷聽到他讀一卷，拿八十卷聽到讀八十卷，他就讀好了。

我們雖然還不到這種定力，但是我們可以從初淺的作起，你讀《地藏經》，讀到哪一品，就觀想哪一品，知道這一品是什麼意思，要懂得意思再去讀，效果更好一點。乃至於讀經的時候，不要把瑣碎的事情都擱在腦子裡頭。讀經的時候，不要打妄想，你很忙亂的時候，就坐在那兒讀經，讀一讀就睡著了。這個情況也有，讀一讀，打妄想、昏沈，不知道讀到哪裡了。修定不許掉舉，不許昏沈，讀經也是這樣，不能掉舉，也不能昏沈。你要是掉舉，這一部經看的是很少，你會讀很長的時間也讀不完，讀一讀，會生厭煩的，要是碰見一部長的經，你更是讀不下去。這些是要防犯的過患，才能得到一切智。

讀經就是修慧，也是修福。《金剛經》講般若空義，讀《金剛經》，福德之大，超過用三千大千世界七寶的供養，比那個布施的功德都大，這就是福。而且能用、能得到慧，那就是慧。福慧雙修，才可以得到般若智。經文當中好像沒有說修法，其實每部經都告訴我們方法，你得修習，習的時候就是學，你這樣的讀才能夠得到受用。佛令這一切的衆生，要是有大乘根機的，專門修大乘的，讓他習讀誦大乘，不但自己去習、去讀，也勸別人去習去讀。這樣子就能夠得到無上智慧，也因爲讀大乘經典，迴向給一切衆生，除一切苦，可以消除衆生所有的苦難。你自己讀，讓一切衆生也讀，令他們趣入無畏城。

「無畏城」，成了佛之後，有四無所畏，畏是畏懼的，我們現在懼怕的情形很多。有很多道友讀《地藏經》，感應不同，或者看見鬼神，或者發冷，這並不是壞現象。這個時候你都要問一問，這是他有畏懼，不敢再讀經。本來讀經是消除畏懼的，但是他有了畏懼，由讀經而感受畏懼，這種情況很多。

不只是《地藏經》，讀別的經也會有，你要先明瞭，讀誦大乘經，就有護法護持，怎麼會有這種恐怖感呢？本來讀經的時候，能夠趣向無畏，趣向沒恐怖。佛的四無畏是一切智無畏，障道無所畏。你修道的時候，說清楚那些障道法。在說的時候，無所畏。只有佛才能說清楚一切的障道法，你要修道，有些障道必須跟你說清楚。說的時候，無所畏懼。還有，漏盡無畏。漏盡，就是再不漏落三界的意思，乃至不漏落一切衆生，使他永遠都得到解脫。第四是盡苦道無畏，說盡苦道無所畏懼，說的時候無畏懼，因爲佛的智慧能夠知道。這是求大乘的，求大乘的要想入佛智，達到佛的境界，除一切衆生苦，在讀誦大乘經典的時候，就能得到這些利益，這跟前面求利益、得定的時候是一樣的。

「若諸有情求緣覺乘，我當安置諸緣起法，令其習誦。若諸有情求聲聞乘，我當安置百千文頌四阿笈摩，百千文頌毘奈耶藏，百千文頌阿毘達磨及毘婆沙，令其習誦。善男子，是名如來習誦業輪。」

如果他不是大乘的根器，在讀大乘時不能進入，佛就給他說緣覺乘。緣覺乘，緣覺十二因緣法。這個十二因緣法，也就是說緣起法，看一切事物的生滅變化，知道爲什麼要受苦？爲什麼要享樂？當然證到寂滅就樂了，在生死輪迴就是苦。因爲緣一切事物的變化，他的智慧能生起覺悟，產生智慧，他看著這棵樹，一下綠，一下又黃，四季的春夏秋冬，乃至人的壽命，長短不一，他對這些加以研究，找出原因。過去的二因，產生現在的苦果，無明緣行，行緣名色，名色緣六入，六入緣觸。這是佛說法的時候，有佛出世的時候，緣覺是依照佛所說的因緣法而開悟的。無佛出世的時候，他自己觀著一切的生滅變化，他悟道了，那就是獨覺。也有由於過去的善根，對於這類衆生，就跟他說因緣法，說緣起法，讓他念這種經。

要是聲聞乘呢？安置百千文頌四阿笈摩，四阿笈摩就是四阿含，有《長阿含經》、《中阿含經》、《增一阿含經》、《雜阿含經》。阿含的意思，是傳承佛教法的聖典，這是起源於佛教的時代，佛的弟子、信徒們，把他們所聞的、所聽到的，佛所教導的、所說的法，用詩、用簡短的文字形式流傳下來。詩歌形式都是口口相傳的，不像我們是用文字記載的。那個時候都是口傳的，口口相授，這樣子就叫眞傳，爲了要積極傳承，才逐漸的發展出傳誦形式。所以，他用簡短文字記載著。印度那個時候都是詩歌的形式，誦的文字就是從這兒來的，這就成了《阿含經》的由來。

《長阿含》共有二十二卷，內有四分，三十部經文。第一卷是有關佛陀生平的記載，第二分就是修行，有關教理的經典。第三部分就是跟外道問難，互相的論難，駁斥外道的邪知邪見。第四部分就說這個世界生住異滅成住壞空的道理。總的說，四阿含就是這個涵義。

《中阿含》就是指四諦十二因緣，或者譬喻，也就是佛陀跟弟子互相酬論的時候，所說的話，乃至於所作的事。就像我們讀誦經的時候，只是語言。但是《中阿含》告訴我們怎麼行的，是修行的方法，那就屬於行。依著言語教導而去作，那就屬於行爲。《增一阿含》是用數字說的，因爲修這部經典的時候，十數加一，他有十一法。他在十上又加了壹個一，增一是這樣的涵義，有五十卷又增加了一卷就有五十一卷。《雜阿含》記載的很雜，不是長文的，不是一個義理，而是很多義理。那就是原始佛教的四種經典。《四阿含》，隨這個文，大概跟大家說一說。

「安置百千文頌阿笈摩，百千文頌毘奈耶藏。」「毘奈耶」是律藏，專門說戒律，戒就是規矩，就是出家的佛弟子應該遵守的法律。之所以叫戒律不叫法律，它有遮有持，持遮兩種。持是應該作的，有止持，有作持，止是不許作的。作持是一定要作的，要你作，你沒作，犯戒。叫你不要作，你偏偏去作也犯了。要分止作兩種，這裡頭說的很多。像大家所熟悉的三歸，三歸沒說戒？三歸也是戒。歸依佛就是遮止你去歸依外道，歸依佛了之後，再不能歸依天魔外道。學了佛之後，一定要持誦三寶，念佛、念法、念僧。這是作的，不能去歸依外道，不能看外道典籍。歸依法的時候，不能看外道典籍，就是止的。一定要讀佛經，就是作的。每個都如是，歸依僧的時候，僧就是僧人，也就是一切的出家衆，你不能歸依邪道，又是止。

凡是戒律裡頭，聲聞乘對於戒律部份，比丘二百五十戒，二百五十戒都沒有犯，持清淨了，一定證得阿羅漢果，這是指從受戒那天就一直沒犯的。一但你犯了，得依法懺悔，就作持，有羯磨法，告訴你怎麼作怎麼作。你犯了罪，犯了這個戒，只是小的、輕微的，懺悔了，就清淨了，還復清淨的，那就是作持，那叫羯磨法。

阿毘達磨，是屬於論藏，這就是經律論。原始佛教的《阿含經》就是經，阿毘達磨是論，經律論是三藏。毘婆沙是論，註解就很多了，學緣覺聲聞的，令他習誦這些。「是名如來習誦業輪」，上面說怎麼樣習誦呢？就是念這些，你自己感覺哪一個適合自己，你讀《四阿含經》，感覺很好，那你就讀《四阿含經》，你讀大乘經典，《金剛經》、《彌陀經》，你感覺得好，就讀大乘經典。當你歸依某位師父之後，很少人向師父請法，「師父我讀什麼經好？」這個問題是很少人問的，受了三歸，就走了，連念佛、念法、念僧，都不念，還讀什麼經！他沒有那個請求。要是有請求的話，師父會給你講得詳細一點。有的師父沒跟你講，你不問他，他也不說。你受完了三歸，有的還要受五戒，受五戒一定要跟你講。一定要講三歸的意義，是要你回去之後，不要忘了念佛念法念僧，這個一定要講。這是習誦的。

「善男子！云何如來營福業輪，謂諸有情根機愚鈍，未種善根，智慧微劣，懈怠失念，染著種種受用資具，遠離善友，我當安置如是有情，使營福業，謂令修作佛法僧事，及親教師軌範師事。善男子，是名如來營福業輪。」

要是修定修不來，習誦也習誦不來，如來還有方便法門，有什麼方便法們呢？營福業輪。業是作，你就作點福德的事，去修福！這是指這一類的有情，根很鈍，不能讀經，更不能修定，愚鈍沒有智慧，因爲他過去沒種過善根，智慧很微少，很下劣，也就是沒有的意思。那麼，他所表現的就是懈怠，失念。

大家都容易失念，我們有時候拿起念珠，一拿到就想起佛法僧，念珠擱起來，就忘了。拿起念珠，才念。所謂念者，就是念念不忘三寶，或者念佛、念法、念僧都可以，你專念一佛也可以。因爲他的智慧微劣，善根又少，失念的時候就多了，他執著於這個去享受了，想享受一切的生活用品。他寧可去打八圈麻將，要他坐在這兒聽一座經，一個半鐘頭，他感覺很苦，各人所好有所不同。像講經只是舉例，不信佛的先不管他，就是我們佛弟子，你要他遊戲，他精神很飽滿的，你要他念經，或者修定，就無精打采。要是面對他的身體，資生的工具，他執著得很，不懈怠，很精進的，這就相反了。這是因爲他對這個世界有貪愛、有欲望。

同時，也沒有善友幫助他。所謂善友者，包括你，或者夫婦關係、朋友關係、六親眷屬關係。因爲我們有一個六親眷屬，他是信佛的，他就勸你信佛，他要把你帶去信佛。因爲這個，有機會信佛。若沒有這個因緣，遇不著這個善友，乃至道友之間互相幫助提醒，讓你修行，那就不懈怠，懈怠是對著精進說的，失念是對正念說的。沒有善友，像這一類的有情，佛說：「我就安排他們，使他們營福。」營福，就是修積點福。念佛、念法，或者到廟上作點善事，或者修廟，參加修習，像我們好多道友作義工，看你這個福業怎麼迴向，雖然是作很小的福業，你要迴向，把它擴成很大，這是由於意念的關係。

還有你跟你的受歸依師父，或者親教師，或者軌範師，在他跟前，作個侍者，或者照顧照顧他們。他們修行的時候，你給他作點事情，這都是營福的。營福的，在廟裡頭，給僧者作給侍。那麼在家的居士，優婆斯迦、優婆索迦，也就是近事男、近事女。近事男、近事女，就是營福的。第一步是對自己的親教師，一般的親教師是指和尚而說，也就是你受戒的和尚，你受戒的羯磨、教授、軌範師，引禮師都算在內。你給他們作點事情，如果你修定作不成，讀經也作不成，那要你去作點好事。如果你在佛前當個香燈師，如果你家有尊佛像，有桌子你每天去擦擦，燒炷香，這都是營福的事。營福的事還很多，這是成就如來的第二佛輪。

「善男子，我成如是第二佛輪。由此輪故，以其無上三世業智，如實了知一切有情諸業法受因及果報。隨其所應，立三業輪，成熟一切所化有情，得安隱住，得無驚恐，得無所畏，摧諸天魔外道邪論，轉大梵輪，成大梵行，如實了知眾生因報。」

「由此輪故，以其無上三世業智，如實了知一切有情諸業法受因及果報」，三世業智是指佛說的。過去未來三世所及的，他能知三世的業。一切眾生的業，都能夠如實的了知。一切眾生的過去現在未來，他們所作的、所爲的、所種的因，現在所受的果報，佛是如實了知的。那麼，就隨機應化，隨其所應，就是應機，立這種三業輪。三業輪，可以說就是上面這三輪，定業、習誦業、營福業，隨順著機，看他適合那一類、那個業輪，讓他依照那個輪修。使所度化的一切衆生，能夠得安隱，安隱的意思就是不被苦難所驚恐，不被三惡道所驚恐，使他們無所畏。墮三惡道是苦，乃至是不說墮三惡道，就說我們作人類，就像現在大家都是人，這是就人道說的。

我們現在都是佛弟子、四衆弟子，你有沒有驚恐、憂慮呀？一天都在患得患失當中，有驚恐，爲什麼呢？你的定業沒有修好，乃至第三輪，福德也不夠，福業也不夠。佛就不是這樣子，他是成就的，對一切衆生，如實了知衆生的善根深淺，以及他們作業的厚薄。作業是善業，惡業，種的因，深不深呀？大不大？乃至於他現在所受的果報，有沒有苦難？有沒有畏懼？知道你有畏懼。因爲有畏懼，跟你說去除畏懼的方法，就說這三輪。

這裡頭包括了習定，定有多少種？至於讀誦，讀誦就太多了！看你讀誦哪一類的經。營福很廣，現在大家都想種種善根，我們把讀誦大乘經典也變成福。雖然你沒有得到慧，你讀誦經典還是有福德的，連聞到名字的福德都不容易。過去的善根，佛都具足一切智慧，都能知道，讓你再沒有驚恐，讓你究竟成佛，也能跟他一樣，也能摧伏一切天魔外道邪論。

「轉大梵輪」，梵是清淨義，能夠達到清淨。那麼你所作的業，你的修行，都能清淨梵行。梵行，就是指清淨的意思，對佛來說，佛是轉大法輪，轉清淨的法輪，他能夠如實了知一切眾生的因緣果報。

「善男子，如剎帝利灌頂大王成善巧智，觀察一切沙門、婆羅門、剎帝利、筏舍、戍達羅等，種種功德，多聞勇健，工巧伎藝。若諸眾生，富有功德，成巧便智，精進勇猛，堅固不退，種種福德而自莊嚴。」

用這王輪來比喻第三輪。我們說第一輪、第二輪，舉剎帝利王的第三輪。前面是喻，後面是法。法就是說佛輪，就是法。拿世間的剎帝利，也就是印度四種種姓的貴族，他受了灌頂之後，接受王位，成就善巧方便智，他看國內的人民，觀察了一切，沙門就是出家人，這個沙門包括在婆羅門出家的，不只是佛教的出家人。婆羅門也有出家人，其他的外道也算出家人，他用沙門來代表。沙門翻「勤息」，勤修戒定慧，息滅貪瞋癡。廣說沙門的涵義，還有很多的解釋。總說就是這樣的意思。印度有四種種姓，沙門除外。哪四種？就是婆羅門、刹帝利、筏舍、戍達羅，婆羅門就像中國的讀書人，在印度說是學者，有學問的刹帝利就是貴族，就是王種姓的。筏舍，包括工商業，也就是士農工商。筏舍，多分指是商人說的。戍達羅就是賤姓，就是屠宰業，奴僕。四種種姓，再加上沙門，這個國王對他國內的人民，這幾種種姓的人民，他都知道怎麼樣才能使他們培福，怎樣才適合他們的事業。

「種種功德，多聞勇健，工巧伎藝」，這是說看哪一類人應該怎麼樣對待，他以後會分配，給他們珍寶、財穀、田宅、奴婢、僕使。因此，他也是觀察這些人，哪種功德大，該享受什麼，哪種人多聞有智慧，多聞就是多學習，多聞是指學習說的，不完全是指學佛法的，像那個戍達羅，他根本也不學佛法，有些不信佛的。工巧伎藝，就是工巧明，工巧就像商人。筏舍，包括工人，有技術，繪畫、裝修都在內，技藝包括很多了。假使對待那些有功德的、有智慧的，不過有些是作事很聰明的，不要把這智慧跟佛的智慧混淆。

「成巧便智」，這個灌頂王，他對國內的沙門、婆羅門、剎帝利、筏舍、戍達羅五種人，他們的功德大小，能力的強弱，技術的高低，假使是功德很富有的，就是功德很大的，這是一類。或者善巧很方便的，很聰明的就是很靈俐的。或者對國家的事務貢獻很大的，精進勇猛的，乃至於作一件事，他能堅固不退的，以他的福德來莊嚴的。那麼，這個灌頂王就根據他們所需要的，根據他們的智慧、品德、能力大小，就跟現在的工資也是一樣的，你能作什麼事業，能力強的就多賺點，能力弱的就少賺點。

「此剎帝利灌頂大王，隨彼所應，給施珍寶財穀田宅奴婢僕使。於自國土，若諸眾生，德藝輕微，功德尠薄，此剎帝利灌頂大王，隨彼所應，微加賑恤。於自國土，若諸眾生，功德薄劣，少於精進，懈怠懶惰，忘失正念，無慈悲心，不知恩報。於後世苦，不見怖畏，沒居家泥，積諸惡行。此剎帝利灌頂大王，隨彼所應，種種謫罰，或以言教苦切呵責，或奪種種珍寶資財，或奪受用如意產業，或罰鞭杖，或禁牢獄，或斷肢節，或斬身首，如是無量隨應謫罰。」

「隨彼所應，施給珍寶財穀、田宅、奴婢、僕使」，在他們自己的國土內，對這些眾生就有分別。像在中國以前有九等，從宰相職務到七品知縣，到衙役，到書辦，到村長鄉長，共分為九品。看他適合什麼，就叫他作什麼。對上等的，就給他珍寶、田宅、僕使，如果沒有什麼德，德不太重，給的很輕微。功德少的，那也是隨他所應。他的能力連吃穿都掙不到，國王就慈悲，賑濟恤捨他。還有比這個功德更低劣的，不精進、懈怠、懶散的，忘失正念是指他不作好事，對人沒有慈悲心，乃至於你給他很大的恩惠，他也不知道報恩。他現在不作好事，將來一定要受果報。在後世受果報受苦的時候，他不害怕，也不怖畏，作惡的人是不會害怕的。

「沒居家泥，積諸惡行」，沒居家泥，好像是指沙門說的。不出家，居家就是在家，在家就是泥坑一樣的，沒到泥掉裡頭去。不只沙門，還有其他的人。居家可以有多種解釋，他不作善業，作惡業，國家會有法律懲罰他。這叫獎賞分明。前面是說功德的大小多寡，對國家的貢獻如何。貢獻大的，就給他優厚，貢獻小的，就少一點。乃至於沒有貢獻的，不能維持生活，還要賑濟，還要憐恤他。

至於造惡的，怎麼辦呢？積諸惡行的，剎帝利王就給他刑罰。還要「種種謫罰」，這是法律，或者是批評他，惡業比較重點的，就謫罰他、訶責他，或者沒收他的財產，奪他種種的珍寶財產，或者把他的產業沒收了。這還不夠，或者罰他鞭杖，打他好多鞭子。或者關到牢獄，或者剁手截肢，或者斬腦殼，就看他所犯的罪惡大小。這只是比喻，我們說這個主要是顯佛輪。因為眾生造的業很多，作惡行的也很多，抵觸國家法律的時候，謫罰也很多，有無量的刑罰。獎賞的層次雖然很多，懲罰的層次也很多。

「善男子，剎帝利種灌頂大王，成就如是第三王輪。由此輪故，令自國土增長安樂，能伏一切怨敵惡友，善守護身，令增壽命。善男子，如是如來成就善巧知根機智。若諸弟子，遠離福慧巧方便智，及以布施，調伏寂靜，失念心亂，來至我所，歸依於我，而我善知彼根意樂，隨眠勝

解，隨其所應，爲說治罰毗奈耶法。」

「善男子，剎帝利灌頂大王，成就如是第三王輪」，這是這個國土的國王所應當作的，拿這個作比喻，因爲這樣子才能夠使他的國家安樂，才能夠降伏一切的怨敵惡友，令這個國家平安，大家才能過好日子。

「善男子，如是如來成就善巧知根機智」，知道一切衆生的根，知道一切衆生的機，有這種智慧就不是剎帝利大王的善巧智，而是佛知衆生根機的智慧。「若諸弟子，遠離福慧巧方便智，及以布施，調伏寂靜，失念心亂，來至我所，歸依於我」，這位佛弟子，最初剛信佛的時候，到了佛的處所，求佛度脫的時候，這些人福慧善巧方便智，乃至於布施，乃至於調伏煩惱，都能夠得到寂靜，得到定，乃至於正念。要是失念了，就不能入定，心亂了，失念心亂。「來至我所」，就是向佛求法，歸依於佛。

「而我善知彼根意樂」，我知道他是什麼根機，知道他喜歡什麼，知道他的根本煩惱是什麼，知道他具足好多智慧，具足好多善根。這就是勝解。最深的勝解是到了佛地，具足佛智。來到佛所的這個衆生，就代表一切衆生，因爲他過去福慧善巧方便智的布施調伏寂靜，失念心亂，佛就觀察他，歸依佛。因爲瞭解他的根基，瞭解他隨眠的根本煩惱，或者他的智慧大小，勝解力如何，應機說法，隨其所應。

「來至我所」，就跟佛出家了，給他說毗奈耶法，毗奈耶就是戒律。凡是歸依佛的，最起碼得受三歸。三歸五戒，或者八戒、十戒，乃至二百五十戒、三百四十八戒。而四重二十八輕，六重二十八輕，毗奈耶就是戒法的意思。

「若諸眾生，其性很戾，於諸學處不能奉持，爲令久住我之聖教，多有所作。或爲制立憶念治罰，或以言教恐怖呵責，或暫驅擯，或令折伏，歸誠禮拜，或不與語，不共同利，或如草布，或復滅擯。」

還有作持，也就是律法。要是這個衆生的根性狠戾，凶狠暴戾，不善順。但是他所受持的三歸五戒，乃至於八戒，學處就指是戒，也是說他所學的律學，他不奉持，不遵守。這些戒律是保護聖教久住的，要是沒有戒律，佛法就不能久住了。為什麼佛要制戒呢？就是使得正法久住，使聖教能夠久住世間，使一切衆生都能夠得到未來的利益。佛法久住世間，利益的人就很多，因此，要求所有來到我處歸依我的弟子都應該奉持戒律。奉持戒律的目的，就是使聖教久住，使佛法久住。

而戒律就是防護，就像城牆似的，是保護人民的。戒律就是防護你的心地，身不掉，心不亂，防護你的身心。所制定的戒律，有種種的法。或者你犯了錯誤，回憶懺悔。或者用言語教導恐怖，說你犯了戒，將來要受報的，下地獄的，就用恐怖的言語呵責他。再嚴重的，則是犯根本戒，就驅擯出去，驅出佛法之外。或者要他懺悔，看他犯哪一種。或者要他歸誠禮拜，或者大家不跟他說話。不與語，就是僧團裡都不理他。乃至於不共利，好比是人家施主供養財物什麼的，不分給他，這就是不共利。

「或如草布」，草布就是他犯的罪太多了，大小都有，如草伏地。他犯罪就像泥巴似的，爛的走不過去，把草鋪上才可以走過去，這就是懺罪方式。他所犯的也有嚴重的，也有不嚴重的。犯的很多，要是一條一條說，大家給他懺悔的時候不大方便，這是一種總懺。就像我們拜懺的時候，我好多生的事也不知道，今生我們沒有犯五逆罪十惡，那麼，拜懺的時候，我們就這樣迴向。那麼，過去可能在他世多少生之前，作過五逆十惡罪，有這樣的懺悔。這就是總懺的事。因為我們不知道過去，沒有智慧。草布就是如草伏地，把草布在地上，就是等於這個懺悔法。就草布地，鋪在地上，讓你可以在泥巴上走過去。要是犯了很多錯誤，你就懺悔。這就是總懺悔的意思。

或者實在不成，不可救藥，僧團裡頭不能留你，滅擯了，把你驅逐出去。在我們大陸寺廟裡頭，犯了根本戒的，就開除，擯除於寺廟之外。

在西藏，我看到一些僧人犯一些錯誤，那種滅擯的方式，就不像大陸這麼便宜。在西藏寺廟裡頭，每一位僧衆，有自己的財產，生活大小都是一個人的，自己有自己的財產。要滅擯你，第一個是沒收你的財產，全部沒收，你所用的出家衣服、衣單、財物，一樣也不給你。另外，給你白色毛衫。西藏人不穿毛衫，也就是拿羊毛織的。出家人穿的都是帶色的，或者紫色的，或者黃色的，都是有顏色的。全部沒收，收歸寺院公有。然後給你一件白衣，表示你還俗。然後，打你二百皮鞭，那個皮鞭大概五尺長，不是像我們拿著捲的，就是好多根皮條子擰到一起，對面站著兩個人打你。其中，有一個人揪住腦殼，另外兩個人拉住你，一邊一個人，拉住胳膊。還有兩個人一邊拉一個腿的，總共有七個人。刑罰的時候有七個人，制住你，使你不能動，你被打痛了，他壓住不讓你動。兩邊算一邊，我打一下，那邊打一下就算一下。或者是打得實在不行了，很多師父向執法者求情，讓他還能夠生存下去，就少打一點。完了，他的家族把他扶走，這叫還俗。

他們的還俗是這樣子。不過一般的情形是他破了戒，就不敢再回寺廟，他自己偷跑了。所以各各的區域不同，大陸上就是默擯。凡是這種破戒的，他也不敢回寺廟，自己就走了，這叫默擯法。

「我以妙智，知諸有情補特伽羅根機意樂隨眠勝解，如應謫罰，為令皆破廣大積聚無義黑闇，枯竭煩惱諸瀑流故，令得生天涅槃樂故，為行惡道補特伽羅得調伏故，隨其所應，說治罰法，觀察黑說大說差別，隨其所應，授與治罰行惡道法。」

「我以妙智，知諸有情補特伽羅根機意樂隨眠勝解，如應謫罰」，「補特伽羅」就是人，就是有情眾生。生生世世流轉的，那個主要的流轉者，就是補特伽羅的涵義。隨你所犯的罪惡，給你這些謫罰的目的，就是破你的黑暗。你過去積聚的，沒有意義的，沒有勝解的意義，沒有淨行的意義，那些都是黑暗的，把那些煩惱、那個瀑流，枯竭了，消除我執我見。這是戒律的涵義，謫罰的目的是這個意思。令你懺悔之後，生天得到涅槃的快樂。這是廣說，不一定是指出家人。作惡的這一類眾生，使他們能得到調伏。

很多人看到廟，或者聞到佛法，他並沒有加入佛教團體，他不信佛，也不是優婆塞、優婆夷、比丘、比丘尼。這類補特伽羅能夠聞到佛法，或者看見寺廟，給他種善根的，但是他看我們的戒律，或者他感覺受不了，就不敢加入。給他說好的一面，除了治罰的一面，還有培福的一面，也就是前面的三種輪。觀察罪惡的大小、罪惡的差別，給他說治罰的方法。例如說下地獄，得給他說治罰的方法，說你受報，會得種種病，這個惡的果報，將來你要受什麼報，這都是黑法。這就是所謂的黑說、大說，但看這個衆生的劣根性到達什麼程度。

「我以妙智，知諸有情，具足成就增上信敬純淨意樂，隨其所應，爲說種種善品差別，令其修學，乃至令彼一切善根皆得圓滿，入無畏城。善男子，我成如是第三佛輪。由此輪故，知諸有情補特伽羅，種種根機意樂隨眠，及與勝解諸業法受，隨其所應，利益安樂，得安隱住，得無驚恐，得無所畏。自稱我處大仙尊位，轉於佛輪，摧諸天魔外道邪論，處大眾中，正師子吼。」

這是令他能夠增上信心，這是佛的一種微妙智慧。令諸有情，增加對三寶的信敬心，使他的心意清淨，心不散亂，那就要給他說種種的善品差別。行十善，別生惡業，不要妄語，別說瞎話，別說綺語語言，不要偷人家，不要殺人，這兩者是對比的。一個是善法輪，一個是惡法輪。善法輪，就能夠增上他的信心。不一定都到得了佛所，前面說「來至我所」，但是現在的時代，到了三寶地，就算來到佛所，不一定來到這裡就要出家，就要受三歸。有些人親近佛法，或者到佛堂來，我們跟他講講善惡兩塗，這也要有因緣，有的人就連這種因緣的也不見得有。這類衆生，他的善根沒辦法增長，就沒有這種因緣。

有這種因緣了，以佛輪來教導他，讓他善根得到圓滿。圓滿之後，使他再也不畏懼。一切衆生，生到這個時代了，生到末法時代，他感覺無歸無依，張惶恐怖。我們看到好多人在亂世當中，戰爭禍亂當中，我們不說刀兵，就像天災的時候，蝗虫水災，他沒有吃的，生活很難維持，甚至於失命。在這個時候，你說一說十善法。爲什麼你會感到這個果呢？那是你過去沒有種到好因，再也別作因，現在你就別再作惡。要轉變果是很因難的，你可以爲未來的因，重新種種子，令他善根圓滿，佛不在的時候，佛弟子就代表佛。

凡是四衆弟子都應當要這樣子，讓一切衆生的善根都得到圓滿。但是佛所說的是佛在的時候，佛所成就的善男子，我成就如是第三佛輪。但是佛不在世了，現在刹帝利王也很少了，連刹帝利王也沒有。所以明君出世，國家就很興盛，風雨及時，災害就沒有了。如果這個國王很惡，刑罰很重，國王要造惡了，那些國師就勸他，應該減刑罰、大赦，衆罪減輕，輕罪都把他放了，那都是懺悔的意思。聖君在世的時候，國家就很平安，有幾十年平安的。像中國滿清，康乾盛世，他們差不多佔了滿清的一半皇位。乾隆皇帝六十年當中，沒有打仗，人民過的平平安安，他自己也很幸福。他一天到晚就是作詩，作對，就是玩。國家沒有什麼災害，天災人禍都很少的。那個時候，就是聖君在世。從周朝的時候都是這樣子，弔民伐紂，就是伐暴政。現在刹帝利王沒有，佛也沒有，佛也不在世。但是先帝法還在，中國的仁義禮智信、孝悌忠信，先王治國的舊法又搬出來。佛法常如是，諸佛的佛法都如是。

由這個輪故，使補特伽羅的種種根基，意樂隨眠，就是煩惱及勝解，跟他所受的諸業法受，「隨其所應利益安樂」，就是一切人民、一切衆生，都得到好處，安隱就是沒有驚恐。沒有驚恐，他就無所畏懼。這是佛自稱說：「我處大仙尊位，轉於佛輪，摧諸天魔外道邪論，處大衆中，正師子吼。」無所畏懼，正師子吼，說的都是正法。師子吼是形容詞。獅子是百獸之中尊，師子吼，百獸聞之皆腦裂，這是形容詞，但是我們不能過份執著。

有位道友在北京的時候，他問過我，佛經講師子吼，好像很厲害似的，可是動物園裡的師子吼也沒有怎麼樣。怎麼答覆他呀？有些問得怪頭怪腦的。我說：「師子吼，有沒有吼？我去好多次都沒聽見吼。」他說聽見過，也沒有怎麼樣。我說：「現在把牠關到籠子裡能怎麼樣？你把牠放出去試試看。我們佛教用師子吼是形容詞，是表顯佛在衆中說法的威力很強盛。你不能這樣比，你這樣比是不對的，這是佛自己說的。」要是我們自己說，我們不敢拿畜生來比佛，獅子是畜生。

像我們過去的大將、元帥、虎將，我們都用虎來比喻。如果你說虎可以，要是說他是畜生，你那腦殼，恐怕要給取下來了。國王都是龍，中國都是畫龍，龍表示最尊貴。可是，龍是畜生，你如果見到國王，說你這個畜生好，你的腦袋馬上就搬家了。我說：「你這樣說不行，那是比方的話，是形容詞，形容著佛的威力，不能拿這個來比，這樣比就不成了。」要是你稱大元帥是虎威，他會高興，笑的不得了。所以，有時候處處執著，在很多的地方表現出執著，就在這個上面也是執著，不從法義上講，就是想在詞句上面找毛病。

營福，你作好事，你見了僧人，不謗毀，把他都當成親教師，當成大德恭敬他，你的福就積下。你心裡恭敬，就可以了。還有，讀誦的時候，先供上一朵花、一炷香。這裡還要補充幾句，不然會有毛病。有位道友問過我，他說：「我是個工人，我住的地方，幾個人住在一塊兒，我確實想念經。不燒香，不擱個花，心裡又好像不好過，我屋裡不能燒香，不能供佛，只有一個床鋪，我往那兒擺？」我說：「你這樣好了，你把你那個床，鋪疊起來，枕頭布要乾淨一點，把經本擺上，你作觀想。」或者念《地藏經》，你觀想地藏菩薩來了，就在上面坐著。又觀想，百貨公司或者超級市場，你把他們搬了一下，他說：「怎麼敢？」我說：「不是，你是用心去搬，你不給人錢就搬是不行的。」你什麼都沒有，用心供就好了。你合上掌，花也供了，香也供了，什麼都有了，感覺如法了。你打開經本念，這樣子沒有什麼關係。別人以爲你在看書，不出聲也可以。

還有，就是用金剛持念經。什麼叫金剛持？自己念自己聽。只要你的舌頭動，耳朵聽得到，自己聽到，別人聽不到，這種叫金剛持，是默誦的念法。這叫不執著，不要在形式上耽誤你的正行。這叫方便善巧，這叫方便智，你這樣能念完了就念，不能磕頭的，在心裡拜就是了。屋子那麼窄，上下舖，你怎麼磕頭？我在監獄裡頭，連磕頭都不能磕，可是在心裡磕，獄方不知道。你在拜，掌不合都不要緊，不合掌也沒有關係，不要給他看這種外表的形式，你內心裡清淨，內心作功德都可以。這叫方便善巧智。

你不執著，所要作的事情，達到目的就好了。如果什麼經也不能念，念佛總該可以，念個聖號總該可以。你坐著那兒，香花都供養完了，普賢菩薩的第三個大願，廣修供養，你普遍的供養，把世界上你所到過的都搬來，沒有關係。你在那裡供，供完了就念。要是不能擺經本，十大願王總可以記得住，一者禮敬諸佛乃至到十者普皆迴向。如果這也不成，那麼阿彌陀佛該可以吧！只要你肯發菩提心，你要想什麼，都能作。你不發心，就找藉口。現在我們的佛堂很好，有人講經說法，你也不會來聽。因緣是自己創造的，福德是自己修的，罪業是自己作的，善根是自己種的。

大家應當這樣來學習營福，這樣來學習持誦，這樣來學習修定。要想等到四緣具備了，就要很久了，要等到什麼都準備好了，要等到東風來，那東風永遠不會來的，也沒有諸葛亮在算，你自己創造個東風就行了。你自己這樣作，就行了。等？你不要等了。生命無常，等什麼！實在沒有辦法，念念聖號也好，功德平等，你心裡一定要平等。在佛堂裡頭很莊嚴，以爲這樣功德才大，其實在屋裡頭這樣作也平等，不平等的是你的心。

如果你生起這個分別心，這個當然是不平等，是不一樣。你心地平等的，能夠磨練斷煩惱就好了。什麼時候都不生煩惱，他怎麼樣罵你惹你，你就是不發氣，就是不冒火，他就沒有辦法了。大家習誦、讀誦的時候，我前面說的要求是很嚴的，你聽到我這麼一說。「我不夠條件，我不能讀！」那麼我就給作造罪了。後面給你解說一下，你只要作就好，多了不能作，少了也不能作，就念一句佛號。一天念十聲也就夠了，端看這十聲是怎麼念的！

「善男子！如刹帝利灌頂大王，知自國土有無量有情補特伽羅，歸依種種邪神外道，起於邪信及起邪見，學邪禁戒，執著修治邪吉凶相，具受種種無利益苦。大王知已，數數召集，以其先王治國正法，開悟示現，教習誡勅，令其捨除倒信倒見，修學先王正直舊法，令自國土一切有情，一趣一歸，一意一欲，一切和合。同依先王正法而轉，聽受詔命。隨順奉行，率土和同，作所應作。時刹帝利灌頂大王，常與群臣數數集會，共味嘉餚，受諸快樂，嬉戲遊行，不相猜貳，咸共疇咨，理諸王務。善男子，刹帝利種灌頂大王，成就如是第四王輪，由此輪故，令自國土增長安樂，能伏一切怨敵惡友，善守護身，令增壽命。」

這跟前面是一樣的，先講王輪，後講佛輪。刹帝利灌頂大王，他了知這個國家的一切衆生補特伽羅，也就是他的國內一切衆生。補特伽羅衆生，大概有十種。一種是不種善根的補特伽羅，過去沒有善根，現在又不修福業，也就是不修善業的意思，而且所修的業都是雜染相續。另一種是遇不見善友，儘跟惡友一塊，這個國土都是這樣的衆生。同時他也不畏懼做壞事的後果，未來要受三塗果報的，他也不畏後果。貪瞋癡非常的猛利，因爲他的心迷亂了，堅守邪見。總說大概有十種情況。這種補特伽羅歸依邪教，就是不正當的邪神外道。有的邪神外道，不見得做很大的惡事，這裡是指作惡說的。
舉個例子，祭祀鬼仙，諂媚鬼神，殺些衆生，供養鬼神，認爲這才是求福。事實上這樣做不但求不到福，反而種了很多的未來苦果。這叫邪信仰。乃至於我看風水的先生，也是邪信仰，說你這間宅子好不好，說吉凶禍福，對佛教來說，這都是邪知邪見。「邪禁戒」，印度有許多外道，從印度又傳到中國的外道很多，或者有不吃油的，有不吃鹽的。在中國來說，沒有敬狗的，或者是敬牛的。印度有一種說法，這隻牛得了神通，他看那隻牛死後生天，這隻牛對人都有功，那麼就寵信這隻牛。

我剛到印度的加爾各答，到街上去散步，在許多街上，我看見牛都是很大很肥的，頭上掛滿紅紅綠綠的裝飾品。我看那些開汽車的人，見了那隻牛，馬上就得停下來，等牛一步一步走過去了，他的車子再開，就是那一條街，那隻牛也很通靈，牠離開那條街，別的街就不去了。由於那條街都是信奉牠的。這種信就叫邪禁戒。還有燒起一堆火，伺火婆羅門就這樣，大家圍在那兒拜，拜完了又念他的咒，以及他的經典。這些都叫邪禁戒。

有時候跟我們佛教也很相似的，他說：「你們這個出家人住在墳地，住在野外，我們比你們還苦。」還有一種，他睡到那些有刺的蒺藜笆，他也睡到野外。但是我比你更受一種苦，我成的道比你更大。這就叫邪見。修苦行成道，並不是這樣成就的。

凡有這種種的無利益苦，這位剎帝利灌頂王看見這種情況，就經常召集這些朝中的大臣，國內的知名人士，研究過去古來先王的治國正法，令全國人民學習。如果再有邪胡亂鬧的，就制裁你，輕者就是教育教育，重者就可以關監。例如有很多邪知邪見的人，有時候在國內，他會害別人的。

那是五十年前的事情了，一九四〇年，我到印度加爾各答的時候，聽他們告訴我，在加爾各答，你在街上，要小心一點，不要一個人走。他看見你是外來的，又不懂得語言，他會迫害你的，把你抓到暗室，到那裡頭就把你肢解，解了供神，眼睛供什麼神，下根供什麼神，腳幹供什麼神，這就是邪知倒見。要是國家不制止這種事的話，國王的法律沒有禁止，這樣子還得了！

這就是邪知邪見，這種邪知邪見在中國也很多。先王的正法，就是每一個國家最初建國的時候，祖先都是很慈悲的。國家的法令，就是他的道德。以前我們也經常研究我們國家的倫理道德，孝悌忠信，禮義廉恥。以前很講究這些道德，我小時候還要學，一到了中學時候就沒有了，現在沒有人講倫理道德了。

我們並不是崇古，過去也有好的，現在也有好的。所謂進步者、改革者，要改過去不好的，革除那些舊的，對人民有害的，這才叫作改革。現在恐怕都不是這樣子。把過去好的全改了，隨著時代不同了，我們經常聽到這句話，改革的，殺盜淫妄，橫行無阻，過去人口也少，像這麼樣的殺害，人口恐怕是會更減少了，不該死而死亡的，這就是邪倒見。研究正法就是研究過去古來所行的，過去先王所修的政治法律。大家經過研究，一致依照先王的正法。若有不聽的，就是違背詔命。皇帝制定新法了，讓一切的國內臣民都這樣作。作他所應作的，不應作的，都不許作。這個剎帝利灌頂王，經常的跟群衆集會，討論這些問題。國泰民安了，大家就享受了，可不是像現在拿公款請客送禮。那是大家共飲，愉快，受快樂，嬉戲遊行，彼此不猜疑，對國家沒有二心，不相猜貳，一心一意的共同咨磋籌商，想處理好國家的政務。這就是刹帝利灌頂王成就的第四王輪，用以顯佛的正輪。

由於這個國王制定這些法律，令這國土增長安樂，能使一切怨敵惡友都降伏了。所以善守護身者，這個「身」字就是每個人民，都能愛護自己，也能愛護人家，這樣子才能增長壽命，積福延壽，乃至不傷害別人。這是國王的第四輪。

「善男子，如是如來成就善巧知勝解智，見諸世間種種邪歸邪見邪意，樂著邪法，行邪業行。由是因緣，受無量苦。如來見已，數數召集。於大眾前，以其過去諸佛世尊三寶種性因果，六種波羅蜜多，瑜伽依因三律儀等，諸因果法，開悟示現，慶慰誡勅一切眾會，令其解脫諸顛倒見，建立正見。安置十善正直舊道，共諸有情數數同修法隨法行，方便引攝因果等流。為諸有情四眾和合，同修一切殊勝善行。便共遊戲四種念住，於三摩地解脫知見諸道品中，歡娛受樂。爲令聖教久住世故，紹三寶種不斷絕故，便共遊戲四正勤、四神足、五根、五力、七等覺支、八聖道支，於其種種勝三摩地解脫知見諸道品中，歡娛受樂。善男子，我成如是第四佛輪。由此輪故，知諸有情補特伽羅，種種勝解，歸趣意樂，諸業法受，隨其所應利益安樂，得安隱住，得無驚恐，得無所畏。自稱我處大仙尊位，轉於佛輪，摧諸天魔外道邪論，處大眾中，正師子吼。」

這是佛的第四佛輪。現在大都是邪歸邪見，樂著邪法，行邪業行。現在的職業是由人民自己選擇的，如果你選擇的職業不好，在這個職業當中，必需殺生。但是這個職業當中並沒有欺騙，哪一個行業都要說眞實話，不過作生意的人都不會說眞實話的。在大陸上有些道友問，不說假話，就沒有辦法作生意。我到美國看到的情況並不是這樣的。在超級市場上，他上架賣多少錢，就是多少錢。因爲他拿到眞價，沒有服務員，他也不跟你說話。因此，不一定要打妄語，非得說假話，才能作生意！我只舉這麼一個例子。這是邪業。邪業就行邪行，不一定這樣子，也可以作。

另外，如果你過去沒有那麼大的福報，隨便怎麼欺騙、怎麼榨取、怎麼巧取豪奪，就算機會奪到手了，馬上也會失掉的。強盜搶了，還有比強盜更厲害的，強盜搶強盜的，還有更大的強盜勢力，勝過你的。這些都是不知因緣果報的關係。種種的邪見、邪業，樂著邪法的事情，這就太多了，你的後果一定是要受無量苦處。歸於神，那就是邪歸，知見不正，我們都可以見得到，他們的弟子非常的多。你要怎麼說呢？這就是「方以類聚，物以群分。」那一類的因緣，那位魔王要轉世，他的魔子魔孫就會隨之而來，當然信奉他的，他不會信奉你的正教。哪一類的，他就信奉那一類，哪一行的、哪一業的，他交往的都是同行同業的。商人莫跟搞政治的交往作朋友，你跟他作朋友，一定會倒霉的。人家說交官窮，交商富，要打官司，總受窮，這是中國古老的教育。你跟什麼人打對，跟惡人還是跟善友，關係非常的大。這也是中國所說的近朱者赤、近墨者黑，就是這個涵義。

佛教導他的弟子說，依照過去的三寶種性因果，種種的戒律，或者以六波羅蜜，用布施持戒忍辱愛行四攝法來教育衆生。或者是依著因地三律儀，三律儀就是三聚淨戒，也就是攝善法戒、饒益有情戒、攝律儀戒，這三律儀都是因果法。善有善報、惡有惡報。開悟示現，「悟」字是可以作「明白」講，懂得因果報應之後，讓他在三寶裡歸依佛歸依法，種善根的種性，種善因就得善果。或者是有相應的因，對相應的果，依著因而驗證他的果。瑜伽是相應的意思，也就是三律儀等諸因果法，這叫因果報應的。讓他明白這種道理，有的時候佛又安慰衆生，讓他慶慰，在三寶中種了福田，來世就不受苦了。佛經上有很多是安慰的語言，你要是聞了法，歸依佛了之後，你將來受種種的福業，再不受苦果了。這是安慰的言詞。

其次是誡勅的言詞，誡勅的言詞就是戒律。你犯了戒，非下地獄不可，墮三惡道。這種言詞就很多了。佛是經常教勅那些大弟子，怎麼樣去利益衆生，怎麼樣消除衆生的顚倒見，使他能得解脫。解脫的知見，跟顚倒見，兩者是完全相違背的。怎麼樣才能解脫呢？你要建立正知正見，不要搞邪命。爲了自己的生存，把自己的幸福建立在一切衆生的痛苦上，這是不可以的，乃至於爲了自己生活過得好，物質總是有限的，那就爭奪，有合法的爭奪，有不合法的爭奪。有順因果的，應該得的得，不應該得的不要得。我們出了力，人家給我們的待遇工資，這是應當得的，要是摸人家偷人家騙人家，這是不應該得的。一般人都懂。這件事該作不該作，他自己心裡很明白，爲了利或者爲了名，管他該作不該作的。反正我能得到利，我換個假名就可以，明知道這件事不可爲而硬要爲，明知道這件事可爲，但對我沒有利益，他就不去做。

這個時候，佛要教導這一切衆生，讓他能有十善的、正直的舊道。一切諸佛都是這樣教導的，不要搞殺盜淫，不要搞貪瞋癡，不要搞妄言、綺言、兩舌、惡口，這就是十善業的，這就是正道舊道的。共一切有情，一切補特伽羅，數數的共同修法，修什麼法就隨什麼法去作。我們修十善業，就隨十善業去作，修六波羅蜜就隨六度的法去行。布施不單純是物質，我們經常以歡喜的面孔對待一切衆生，讓衆生看見你就喜歡，你看見彌勒菩薩，他坐在那兒總是笑的，他是以歡樂布施。乃至以財布施，還有給人說法，法布施，勸人家作好事，都屬於布施。這是舉這麼一個例子來說。

反正是以善巧的方便，以這因果法來引攝，也就是善惡因果，這個有深有淺，最深的是發菩提心，行菩提道。到你是自然證得成佛的果，這就深了。一般人，或是勸人念佛，勸人家信佛，信佛有什麼好處？免去災難，勸人家把因果看重一點，知道我起個壞心眼，將來一定得到壞果報。這是對菩薩來說的。對一般的眾生來說，必須得有事實。做這件事情，確實造成了傷害，這才治罪。菩薩一起心動念就不行了，要懂得這個因果。我們的佛弟子，四眾弟子，和合共同修行善法。

最殊勝的善法，要發菩提心行菩薩道，利益眾生，廣度眾生，要共同的修行殊勝善行，共同的念佛打佛七、共同的拜懺。拿修法當成遊戲，四種念住，身受心法，遊戲於四種念住之間。三摩地就是定，解脫知見，可以得成就你的法身慧命。乃至於諸道品，諸道品就包括很多，四正勤、四神足、五根、五力、七覺支、八正道。信進念定慧，只對佛教有信心，還是不行的，你必須得精進。進是精進，你精進才能得到好處。常時思念三寶，念你所修的法，不捨正念，你一直這樣修，持出入息，漸漸就得定。定而能生慧起觀照，在定之中就含著觀照。觀照之中，就含著定。但是，你修久了，有了力量，五根五力就是這個力量。乃至於種種的三摩地，證種種的定，得種種的慧。

佛跟地藏菩薩說，由這個輪故，所以我沒有在這個婆娑世界上。我是大仙尊位，轉佛輪，一切天魔外道邪論都被摧毀，像師子吼一樣的。這是第四種佛輪。先說世間的種種危害，國王是怎麼樣處理的，完了，是佛對他弟子的教導，也就是對治過患。

「善男子，如剎帝利灌頂大王，知自國土，或他國土，有無量有情補特伽羅，於自財色耽染無厭，於他財色貪求追愛，即使安置堅固城郭村坊戍邏國邑王宮，廣說乃至舍羅鸚鵡，防守眾具，令無損失。善男子，剎帝利種灌頂大王，成就如是第五王輪。由此輪故，令自國土增長安樂，能伏一切怨敵惡友，善守護身，令增壽命。」

這都是指國王說的，佛在世的時候，以前並沒有民主這一說，不會沒有國王的，歷史上都是這樣的。如果這個國家沒有國王，群龍無首，那會亂的。我們現在是民治、法治，不是人治，民治是依法而行的。現在的時代，跟那個時代不同了，現在亂不亂，我們也都很清楚，沒有資格評論。佛所舉的例子，是依著他住世的一切情況。一切衆生，他自己的財色，色，包括種種享受，他耽染無厭。這個「耽」字，耽是一種毒，衆生不認爲是毒，他貪戀不捨的，自己的不肯捨，還需要保護，還去追求別人的，爲了這種原因，他必須要保護這個國土，讓他的國民生活安定。或者修堅固的城牆，過去修城邑就是那樣子，那個時代就是刀槍。如果城牆修高一點，修厚一點，城門關上了，賊就進不來了。村子也是這樣子。

我還記得小時候，在中國東北的一個村落，修四個碉堡，這裡頭或者八十戶人家，或者有一百戶人家。四個碉堡都加上土砲，因爲那時候東北的土匪很多，土匪打來了，城牆很厚的，在那上面放銃砲，他們叫那個爲響窯，說這個村子是響窯，就表示這裡頭有火藥，有槍砲。土匪要搶這個村子，必須集合很多人。先用土砲攻破這個城，才能進去。古來每個國家都是這樣子，你要過去，每個城市修城牆修得那麼厚，乃至於像秦始皇想保住他的國家，就修萬里長城，萬里長城是用來抵擋北方匈奴的。那個時候要是有城牆保護就很好了，乃至於一個村鎮、每個村子，他都要保護。

「王宮」，大家逛北京城，外城內城，還有一個紫禁城。我們遊北京故宮的紫禁城，把門一關，你進不去，現在有直升機就進去了，空降部隊就打進去了。那是時代不同，設備也就不同了。這是說防護的意思。

「舍羅鸚鵡」，鸚鵡的男鳥叫舍羅，女的鸚鵡就叫舍利。女的叫舍利，男的叫舍羅。舍羅就專門保護這個女的，它要當班的。大家看過雁，雁就怕落孤，一旦落孤，就想自殺，爲什麼呢？孤雁。如果這個雁群要住下了，孤雁就去巡守，雁群常見到孤雁。打雁的獵人，他先打到孤雁。打到了，牠就不叫了。孤雁不叫了，他可以抓到很多的雁，因爲其他的雁都在睡覺。

我在西藏，看見西藏有很多保護群牛的犛牛。你看一般的牛，是怕狼、怕豹子，也怕老虎。但是在這個群牛當中，有這麼一兩個領隊的，它們叫頭牛，一到晚上了，吃的特別好，也不要到外邊去打草，主人都給牠糌粑吃。主人吃什麼，就給牠吃什麼，乃至於煮熟食給牠吃。牠作什麼呢？到了晚上，主人睡覺去了，狗放出來，狗就配合頭牛。這頭牛來回的，圍著牛群轉幾圈。牛怕牛管，牧場主人要是去管，牛還是亂跑的。可是，頭牛來這裡轉幾圈，牛群都都趴著等著不敢動。牠就巡視，看有沒有狼，有沒有豹子？頭牛就發揮這個作用。我是舉個例子，連畜生、飛禽，都需要保護，何況是人類呢？人類現在的智慧複雜了，不像過去，有飛彈乃至戰鬥機，又是海上來的，陸上爬的，太多了，現在比那個時候是更不同了，這是降伏一切怨敵，保護身家財命的。

「善男子，如是如來成就善巧知諸性智，知諸惡魔及九十五眾邪外道，并餘無量眾魔外道所惑有情。於自財色耽染無厭，於他財色貪求追愛，於我自身，及我徒眾，深生憎嫉，爲害我故，假設珍饌，雜以毒藥，闇置火坑，僞敷床屋，或推山石，或放狂象，拔劍追逐，散坌塵穢，謗行婬欲，毀是不男，或謂非人，或言幻化，以是諸惡而相誹毀。」

現在的末法衆生，受到名利的誘惑，再加上外境的引誘，內心的貪瞋癡又特別的嚴重。對於自己的財產，他是要保護的。財產屬於利，他防範的很週到，貪得無厭。但是又想巧取豪奪別人的財產，一個人不行，於是多連繫幾個人，現在這類事情很多的。還有追求財色，互相猜忌。現在的有情衆生，特別是佛弟子，要怎樣對付惡魔，外道的誘惑無非是財色利害。同時的，對我們的自身，乃至對於我們的徒衆，也是彼此不安。外道對於佛陀的正道，是嫉妒的。現在不只外道嫉妒，佛弟子跟佛弟子也在嫉妒。所以我們四衆弟子，要互相讚嘆，不要互相攻擊，互相毀謗。這樣是不可以的。

他騙你，請你客，你要小心，他裡頭下的有毒藥。或者是挖個陷阱，是打野獸的陷阱。大家要是到過山區就知道了。像我在東北的時候，他們要到山裡去，他囑託你，走路要小心。你看見是路，其實底下是個坑。上頭用草敷上，野獸一走，就掉進去了。還有用樹上的蹦子，他那粗繩子綁起。你要是一踩著它，就把你彈起來了，把你吊起來了。完了，他人就來了，這是打野獸的辦法。有的人誤入這種打野獸的地方，大多數是人煙稀少的山林裡頭。《地藏經》上說，你或者有事，非進山林不可，恐怕要招危險，多念念我的聖號，這就是陷入這種危難。

或者是他請你敷床座，對你很恭敬很敬佩的。「或推山石，或放狂象」，在印度就有狂象，我們這裡沒有。有時候那象喝了酒，瘋狂了。象踏你，拿鼻子一捲就把你摔出去了。或者用武器，拔劍，用槍砲，迫逼你。「散坌塵穢」，誣陷你，就是用語言誣陷散播一些對你有害的謠言。你明明是清淨的，他就散播一些謠言。

「謗行婬欲」，謗毀你破了戒，或者毀壞你，懷疑你是不男。在佛教講，有五種不男，不男也不女，舉個例子，像太監不是男人，就是一種。在佛經戒律上講五種不男，他或者是半個男的，半個是女的。跟男人在一起，他是女的，跟女人在一起，他是男的。這叫「變不男」。像這種人不能收他出家。他毀謗這個人，看見有道德的大德，歸依的徒眾很多，就毀謗他，說他不是人，是鬼變現的，不要信他。這都是謗毀的言詞。

「於佛法僧，亦起無量種種誹謗罵詈毀辱。於我近住聲聞弟子，嫉妒因緣，起諸毀謗。如來知已，善守六根，依四梵住，具四辯才，爲諸聲聞宣說法要，安立清淨三解脫門，我以如是世出世間知諸性智，如實了知一切眾生種種無量諸性差別，隨其所應，爲作饒益。」

以下都是謗毀的言詞。以種種的惡事毀謗你，毀謗什麼呢？毀謗佛、法、僧。明明是正法，他說這不是正法，他才是正法。或者你持戒，持清淨戒，他設種種刁難，乃至於謗毀你，使你待不下去。這類的情形，在寺廟也有，四眾弟子都有。我們要有智慧，要認識他。廣說起來，無量的種種毀謗、罵詈、毀辱。那是說的太多了，或者對於我近住的聲聞弟子，近住者是在佛身邊的，在佛身邊的千二百五十僧眾。嫉妒因緣，因爲他生了嫉妒心，生起謗毀。這是佛在世才有，在佛身邊的叫近事弟子，佛入涅槃就沒有了。大廟的財富是很大的，看著財富，他也生起謗毀，這類事很多。佛教誨我們說，要好好的守護你的六根，眼、耳、鼻、舌、身、意，善護六根，也就是防意如城，特別是意識，就像是築上城牆來防備他。他會隨時不依規矩的，隨時會犯錯誤的意思。

「依四梵住」，四梵住是清淨的，清淨是指什麼呢？指四無量心，慈、悲、喜、捨，依著慈悲喜捨而住。要具足四種辯才，有了辯才，才能維護佛法僧三寶的清淨。跟外道辯論，迦葉摩騰、竺法蘭來到中國傳法的時候，道教跟他辯論，說那是邪法。種族不同，國土不同，他也來這兒弘法，這是邪道，皇帝說也沒有辦法，就把迦葉摩騰、竺法蘭所帶來的經書擱一個台，道教的經書擱一個台，點火來燒，道教的經典都燒毀了。那個時候，迦葉摩騰、竺法蘭帶來的就是《四十二章經》，《四十二章經》放光，沒有燒毀，這才建立寺廟。

四辯才就是辯才無礙，法無礙，意無礙，辭無礙。眞正法師的資格，得具足四無礙辯。眞正的聖僧，如果是沒有語言三昧，你弘法的利益不廣，不能稱爲全才的法師了。像那個時候印度來的大德，到中國沒有多久，就學會中文了。語言文字學通了，利生就方便了。像我們就很慚愧，沒有這個智慧。

到了別人的國土，不懂得人家的語言，不懂得人家的風俗習慣，經書怎麼翻譯呀？眞正的大德、大法師，必須得清淨行，慈悲喜捨得具足，法意辭辯才必須得具足，好給人家說法。佛教導弟子說，佛知道以上的這些因緣，就是前面所說的種種謗毀。他就教誡弟子，好好的守護六根，精勤莫放逸，應依四念處住，經常的念無常，念無我，念苦，這樣給這些聲聞宣說法要，安立清淨的三解脫門。

佛知道以上種種謗毀外道，就告誡弟子好好守護六根，愼防根門，根門就是我們的眼耳鼻舌身意。要依止慈悲喜捨住，要學習要具足四種辯才。佛就給這些弟子們、這些聲聞們，宣說法要。總之，要安立三解脫門。三解脫門，就是空、無相、無願。以下都是佛說的話。

「我以如是世出世間知諸性智」，我知道法的性，知道法的體，知道法的因緣，知道法的果報。有這種的智慧，就如實的了知衆生有種種無量的諸性差別，這個性，可以說是性情，各人有各人的性情，這並不是就性體來說，性體是沒有差別的。這裡所說的性，是指他善根的根性，過去、未來、現在的種種根性。一人一個性，也就是你生活的習慣性，每個人都有生活的習慣性。有的時候他信佛了，歸依成爲佛的弟子，依照佛的戒律教導，跟著僧團共住，降伏自己的個性，不敢放縱。跟大衆僧共住的，自己既然是佛弟子，不能任性，不能任個人的性情。

佛知道一切弟子，乃至一切衆生的種種個性，那是完全不同的。佛就是應機，看你喜歡什麼，依什麼法能夠開悟，佛就依什麼法教導你。我們就不知道，像佛講經的時候，像《十輪經》，跟這一法相應的衆生，他都會聚會，都會來的，會讚嘆隨喜的。地藏菩薩究竟感這個法會來的，大集會的時候，應這個會的機而說種種法。

我們現在一般的情形是他學哪一部經的，他就請哪一部經。像我們在閩南佛學院，或者中國佛學院，我只講法相的，只講五教的，只講四諦，別的我不講，我也不會，就根據所學的來作貢獻。佛並不是這樣子的，佛是根據你的機，要什麼，我就給你說什麼。現在是反過來了，你是不是這個機，我不管，我只會講這個。爲什麼要生到有佛世，容易開悟，容易成道種善根，求生於有佛出世。我們算是八難，八難之一是無佛出世的時候，已經差很多，再加上種種邪知邪見的干擾，你怎麼能解脫呢？解脫不了，所以佛能夠如實了知衆生種種的個性，種種的差別。「隨其所應」，所應者就是隨順他，應該以什麼法能夠得度，佛就給他作饒益，就給他說什麼法。

「善男子，我成如是第五佛輪，由此輪故，以世出世知諸性智，知諸有情補特伽羅種種無量諸性差別，隨其所應，利益安樂，得安隱住，得無驚恐，得無所畏。自稱我處大仙尊位，轉於佛輪，摧諸天魔外道邪論，處大衆中，正師子吼。」

「善男子，我成如是第五佛輪」，這就是我成就的第五個佛輪，由於這個佛輪的緣故，我對世間出世間法的法性，也就是如理來說，或者以事來說，或者以戒律來說，因爲我能夠了知世出世間法，有這種智慧，對待種種的補特伽羅，種種的衆生，他們無量的差別性、無量的需要，我就隨其所應，利益安樂。令他們聞到這法之後，去作就解脫了。不作，也得了安隱。他明白了，了解了，他就不會害怕了。或者我不去，或者我躲開，我們了解前面是危險的，不要去了，你不就躲開了？明明知道是危險的，又非要去不可，你怎麼辦？必須經過國境，經過山林，怎麼辦？念過《地藏經》，就知道念地藏菩薩。前面也說了，念地藏聖號有種種功德，得安隱住。這個時候，你才能夠安隱，沒有恐怖感，得無驚恐，不用害怕，得無所畏。

「自稱我處大仙尊位，轉於佛輪，摧諸天魔外道邪論，處大衆中，正師子吼。」這跟前面經文是一樣的，這幾句話，十輪都如是。

「善男子，如刹帝利灌頂大王，安置一切堅固城郭村坊戍邏國邑王宮，廣說乃至舍羅鸚鵡，防守具已，處自宮中，與諸眷屬后妃婇女而自圍繞，遊戲五欲種種樂具，放恣六根，受諸喜樂。善男子，刹帝利種灌頂大王，成就如是第六王輪，由此輪故，令自國土增長安樂，能伏一切怨敵惡友，善守護身，令增壽命。」

第六輪與第五輪相似，因爲他已經防護好了，專門防護怨敵的。國內好了，就防禦外侮，國內能夠統一了，心無二念，大家都一致了，內部不再鬥了。完了，再建築堅固的城市，乃至村鎮都有防犯。這跟前面是一樣。乃至於舍羅鸚鵡，防守好了之後，在宮裡，才能快樂，才能遊戲。「放恣六根，受諸喜樂」。這是一個比喻，外面沒有堅固的城郭，沒有村坊，戍邏就是巡邏的意思。我們知道衛戍司令，是專門管防守的。戍就是防守的意思，邏就是巡邏的意思，看有沒有人偷竊。

乃至於王宮國邑，邑是指都市，城市的意思，或者是指村鎮。王宮就是王所居留的地方，防守都要作好，也就是作好安全。而後，才能享受，才能快樂。「受諸喜樂」，我喜歡聽音樂就聽了，這就是刹帝利灌頂大王成就的第六王輪。

「善男子，如是如來與諸菩薩摩訶薩眾，及大聲聞，安置一切堅固聖教防守之事，即便現入最初靜慮，乃至現入第四靜慮，現入無邊虛空處定，廣說乃至現入非想非非想定。如是乃至現入一切佛所行定。入此定已，無量百千俱胝那庾多天龍藥叉羅剎健達縛阿素洛揭路茶緊捺洛莫呼洛伽薜荔多畢舍遮布怛那羯吒布怛那等，於諸眾生，常懷毒惡損害之心，無慈無悲，於後世苦不見怖畏，而彼見我入於一切佛所行定，皆於我所生大歡喜，起淨信心。於三寶中，皆生最勝歡喜淨信，尊重恭敬，得未曾有。於一切惡，慚愧發露，深心悔過，誓願永斷。由是因緣，一剎那頃，無量無數諸煩惱障業障法障智皆得銷滅。無量無數福慧資糧皆得成滿，背離生死，趣向涅槃，護持如來無上正法。善男子，我成如是第六佛輪。」

靜慮，有四種靜慮。什麼叫四靜慮？就是四種禪定。用四禪來對治你的惑，有這個定的功夫，甚至可以防止你的惑染。這就是指色界中的初禪、二禪、三禪、四禪，所以又稱爲色界定。這個靜慮就是審慮，如實了知心意境性。定就是指定住一種境性，也就是觀心定住於一種境性。

能深入者，就是離開了欲界之後，所感受的與色界的觀想能夠相應。在修定的過程，前三禪是方便的階梯，心裡的活動逐漸發展了，形成了精神世界，進入第四禪才是眞實之禪定，這是指初果聖人、二果聖人、三果聖人。初果聖人在生天的過程中，生天了，又來到人間的，初果的聖人，還要來人間七返。二果的聖人，要一返人間，三果人不來了，都住在天上，住在四禪天。因爲他修這種定，漸漸能夠成就了，斷了見惑的煩惱，斷了思惑的煩惱，逐漸把見惑煩惱斷，也把思惑煩惱斷了，就證得阿羅漢果。初禪，離生喜樂地，離開這種尋伺。

第二種禪，就是定生起了，他內心的煩惱就清淨了，不像我們，內心的煩惱一生起，就感覺到心裡很煩躁，內在的火很大。這個時候他都沒有了，內部的見惑斷了，而且能斷思惑。到了三禪天，漸漸生起定，生起喜樂感。到了三禪天，離喜。三禪天離了定所生的喜，也就是粗的樂，變成細的樂，所以叫妙樂地。這個時候就產生正知正見。四禪天就是捨念清淨地，反正是後後勝於前前，後面這一天就捨掉了前面那一天所證得的捨掉了，又進一步把前面的捨掉了。

像我們在修道、修定的時候，你進一步了，已經沒有見的煩惱了，把粗惑降伏下來了。如果是修數息觀，你會感覺到出息很粗，一到很靜的時候，就不會再緣念粗息時所修的境界。這就是進入細的境界，也就是後後勝於前前。後面有進步的時候，就可以把前面捨棄了，不會緣念前面。

我們經常說，過了河，船就不要了；不要緣念前面的事物，捨棄了。以後學法，學的深入了，如果已經得定了，你不必再去看文字，也不必再拿著經本去念了。你可以一心去修定，我們在修行的當中，一定要有了這種境界，得了這種定之後，你才能夠降伏惑，對外面境界的引誘也好，內心生起的也好，你降伏得了；如果沒有定力，你會降伏不了。四靜慮之後，底下所說的，入無邊空虛空處定，乃至於現入非想非非想處定，這叫四禪四空定。空無邊處定，識無邊處定，無所有處定，非想非非想處定，這叫四空定。乃至現入一切佛所行定，一步一步定，都有很多的功力。

入定之後，就可以防範一切天魔外道不能干擾你。防範什麼呢？「定如城」。堅固就是堅固城廓村坊。這就說是入定了之後，你就成道了。對於內賊、外賊，悉能降伏得了，不被賊所惱害。以下就舉出來，無量百千俱胝那庾多，是說億兆的，那麼多的天龍、藥叉、羅刹、健達縛、阿素洛、揭路茶、緊捺洛、莫呼洛伽，這是八部鬼神衆。

以下全是鬼，薜荔多、畢舍遮、布怛那、羯吒布怛那等一共十二類。這些鬼類，有善有惡。有時候，他是護法，有的是惡的一類，常懷毒惡、損害之心，沒有慈悲心。行者因爲得了四靜慮，入了四禪八定，乃至九次第定，乃至入了佛的一切諸定，首楞嚴定，這些鬼神就不能惱害修行人。這些鬼神看見佛所行定的這些修行者、這些聖賢，不但不惱害，而且生起歡喜心，生起一種淨信心，淨信不容易生起，這是清淨的信心。這個時候，這些鬼神對佛法僧三寶，生起了最勝的歡樂淨信。

我們如果對於三寶生起淨信，沒有夾雜什麼名聞，沒有利害關係。什麼叫利害關係呢？如果生病，你就想求病好了，這叫利害關係。現在很窮困，你想求生活資具充足一點，求佛菩薩加持，乃至於在作生意，這都叫作利害關係，不叫淨信，這是有所求。淨信者，無所求，但是我們發菩提心求佛，算不算求呢？那是順正道的，是清淨心，不能跟世間法相互比較。一定要了解，了解之後，一定要清楚。清楚了，在你求的時候，有兩種願。發願是最好的。念〈淨行品〉，一共有一百四十一種，總結起來也只是兩種，一百四十一願，也只是兩個願，度衆生，求成佛，乃至讓一切衆生都成佛。發這個願的時候，是清淨的。因爲你想把你的心變成成佛的心，同時要還原一切衆生本來的面目，還淨他本來的佛性。這就叫淨信。

所以一定要分清楚，淨信跟染污的信。但是，我們初入佛門的，面對不信的，怎麼辦呢？你要勸他，信佛是有好處的，家裡頭能夠平安。你不能一下子期望過於高深，他是進不去的。先以欲鉤牽，漸令入佛道，最初用他最喜歡的，最迫切需要的，你跟他一說，他就高興了，信了，有沒有加持？有加持。有加持之後，讓他漸漸的生起最勝的歡喜清淨信心。讓他對三寶產生恭敬，才能斷一切的惡，漸漸的斷，他自己才知道。知道了，就慚愧了，知道發露懺悔了，知道悔改了。所以必須具足深心、淨信心，才能夠生起慚愧心，才能夠生起懺悔心，才能夠誓願永斷煩惱。

佛在第六佛輪說，令我的弟子都應當習定的法門，入四禪八定，乃至於如來一切諸定，這個是防護外賊的干擾，內賊的偷盜。家賊難防，記得古人說過：「山賊易防家賊難防」。外賊容易，你小心注意就可以了，自己的家賊你照顧不到，家賊很難防。外頭的境界相，我們可以伏一下子，或者不涉獵，不參加。自己根基不厚，容易沾染。茶館酒肆，我不去就是了，舞廳不去就是了。不該我去的場合，不去就是了。受了八關齋戒，這些地方都不准去，這就是防護的意思。佛就給你防護好了，所以才能夠消除你的煩惱。

由於這個因緣，無量無數的諸煩惱障，業障、法障，皆得消滅，一切障道因緣都消滅了，聖道因緣就成長了，無量無數的福慧資糧都圓滿了。這樣子跟生死就違背了，離開生死了，跟涅槃就相近了，趣向於不生不滅。生死就是生滅的，有生必有死，這是必然的規律。我們都是怕死，不知道生的時候跟死的時候相比也是痛苦得差不多，鬼怕投生，人怕死。鬼有通，他知道受胎、住胎、出生，那種苦苦得不得了。鬼怕超生，不願超生，作鬼就好了，鬼也願長久作鬼。這是一樣的道理。人就怕死，不願意死，鬼也怕死，怕死才知道死了要生。人對死的痛苦，只知道別離，自己親愛的人離開了，永遠別離了。自己的財物，一生創造的家，什麼也拿不去。怎麼來，怎麼走。來的時候，什麼都沒拿來，在母胎出來光光的，什麼都沒有。你走的時候，穿上一身壽衣，讓火一燒，什麼都沒有了，連骨頭渣都沒有了。這叫背離生死，要懂得這個道理。你想求不死？證涅槃就不死，涅槃是不生不滅。

或者有人說，你講的不對，釋迦牟尼佛不也是死了！他不是也受生？他受了生，這肉體一定也要死。所謂的不生不死，你以為他是受生死的，其實他是化現的。等到你成道了，就知道他是化現的，現在也是化現的。這個肉體是地水火風空根識七大合成的，假的，根本沒有的。如果是真實的，當然不滅。不真實的，所以會幻滅的。

「護持如來無上正法」，這些八部鬼神見著佛修這些定，生起大歡喜心，對三寶生起歡喜的淨信。得未曾有，再不作一切惡，乃至於慚愧發露懺悔過去所作的。深心悔改一切過惡，無量的福慧都得增長了，趣向涅槃。而後不但不惱害眾生，還要護持三寶，護持眾生。連鬼都發願，誰修道，他就護持誰。

爲什麼我們要護持三寶？要是有這個善的鬼神，或者誦經，作佛事，他們護持我們，我們要加持他們。他在我們上面求福慧，所以，我們作很多的事情必須誠心、淨潔，乃至進了佛堂，要恭敬，這都是對付鬼神的。我們要是做錯了，鬼神他有瞋恨心，佛菩薩是慈悲，不會怪你的，曉得你的業重，隨業流轉而表現的不同，鬼神就不是這樣子。所以，我們有很多戒律，就是防護貪心，防護起瞋心。這是第六佛輪。

「由此輪故，如來遊戲靜慮解脫等持等至，無量百千微妙深定，以靜智隨轉滅諸有情無量煩惱，隨其所應，利益安樂，得安隱住，得無驚恐，得無所畏，自稱我處大仙尊位，轉於佛輪，摧諸天魔外道邪論，處大眾中，正師子吼。」

這個與前面是一樣的，不再講了。

「善男子，如剎帝利灌頂大王，與諸群臣，領四兵眾，周巡觀察一切自國城邑聚落，山川谿澗，園苑田澤，陂河池沼，曠野叢林，鎮邏等處。隨彼所在國界諸方，險阻多難，不任營理，有疑有怖，堪容外境，怨敵惡友，投竄藏伏，此剎帝利灌頂大王，隨其力能，方便安置種種修治，堅固防守，令彼諸方，平坦無難，堪任營理，無疑無怖，遮其外境怨敵惡友投竄藏伏，安撫自國一切人民，皆離眾苦，受諸快樂。善男子，剎帝利種灌頂大王，成就如是第七王輪。由此輪故，令自國土增長安樂，能伏一切怨敵惡友，善守護身，令增壽命。」

這是第七王輪。前面講四種禪定，四無色定。像這些名詞，很多經論都是一樣的。如果你真正學的時候，對很多佛經，你都會懂了。四無色定就是超出色相，沒有色可以表現的，就叫無色。這四種境界，全是思想上的境界，不是有色有形相。不像欲界六天、色界十八天，這是無有形相的，由思惟而得的定。能夠證得無色界定，就是對治色界欲界的束縛，有形相的束縛。入這種定，沒有束縛了。藉這個修行，能夠降伏你的煩惱。學佛法就是降伏煩惱，得到這四種定，他的精神境界面貌，就不同，他是處於寂靜當中。

第一個定是空無邊處。空有邊？沒有，無邊。形容入這個定的心識，不被一切四禪天的定所束縛，初禪、二禪、三禪、四禪，那個定是有束縛形式，這個空處的定，沒有這種形式，沒有形相。我們可以想像到空間是無限的大，無法限制的。空間究竟有好大？無邊處就是指沒有限制，沒有處所，沒有邊際，沒有形相。這個定就超過前面的四禪八定。有的經論是說九定，九次第定，有的是四禪八定，這裡是四空處定，四無色定。現在如果注意出入息，修持出入息，出息、入息。如果持定究竟了，你都超過了。這種定都是指心識說的，這種定除去你的障礙，沒有障礙了，在空中有什麼障礙呢？沒有障礙。這就是空處定。空無邊處定，就是空處定，能夠滅除我們的障礙。

這個時候不會說，有我能入的定，我所入的定，能所都空，他的思想還是有作意。那作意就思想空處，無邊無相大。唯有空盡，沒有邊界之相，所以叫空無邊處定。以我們現在來說，想修這個定，距離還很遠的，要一步一步來。不過，要先知道這個次第。

第二種，識處定。這個識就是心意識的識，這叫識處定。這個識，無限的大。我們現在用的前五個識，眼識、耳識、鼻識、舌識、身識、意識，這五個識是有局限性的。如果沒有外邊的幫助，沒有空的幫助，沒有日月燈光的幫助，我們的眼睛什麼也看不見的，在黑暗中還能看見什麼？我們的耳朵，只要有一點障礙，就聽不清楚了。識無邊處是指你入這個定，就不同了。入這個定，不假日月星光的幫助，你一作意，你的眼根可以看到一切，大梵天王可以看三千大千世界。入這個定可不是空的。或者空定，空了，什麼也沒有。那不是斷滅空，入這個定不等於零，不是那個意思。這個識處定，識也是無限的大，空也是無限的大。但是這個識還有思惟，這個思惟的識沒有邊界之相。

第三個無所有處，又叫妙處定。這個定超過識無邊處定，依你一切思惟所有之相而安住止。妙處定就是你思惟至何處，就定到何處。這叫妙處，你思惟所到之處，就是你入定之處。隨相安住，隨你所有的相而安住。

非想非非想處，這個定就超過無所有處定。思惟這個相，說有相不可以，說無相也不可以。你想什麼東西，有沒有想呢？有沒有作意呢？非想非非想處，就把這個非想也遣散了，不是虛幻的，不是空無的。非想非非想，又不是非想。就是這麼一個涵義。非想，可不是有。他不要你執著，就遣散你的執著相。非思惟的這個思惟，非想，不是像我們用六根意識的想。我們想起什麼事物，想這個事物想那個事物，並不是這樣的。非想，不是想，又不是無想。非非想，不是非想的想。非非想，此定異於滅盡定。滅盡定是阿羅漢的定，他滅盡見思煩惱了。但是入這個定的時候，他還有無明的煩惱，這個定還有思惑的煩惱，並不是聖人。但是，不是無想，異於無想。後面這兩句話已非無想，異於無想。這怎麼解釋呢？非想就是不思惟，沒想了。沒想等於空寂了，這個意思就是說異於無想定，不是完全空寂的。

四無邊處定，這四種境界是由思惟而得的定。無色界定，這是對治什麼呢？對治束縛的，對治惑業給我們的束縛。換句話說，我們對於外面的境界相都有一種感受。這四個是離開你的感受，離開外邊境界相的感受。換句話說，得了這個定，我們的攀緣心，停息下來了。爲什麼這四種定一個比一個進步一點？總說，就叫四無色定，無色界定。在唯識裡頭講得很清楚。

這裡面有三種神變，這三種神變又作三種示導，三種示現，三種教化。佛菩薩教化衆生的時候，他示現身業、口業、意業的德和用。

第一個是神通變現。菩薩哀憫這些受地獄苦的衆生，他現神通力，這叫神通變現。以他的神通力，滅掉刀山、火海、地獄等種種刑具。他以神通力降伏這種現象的時候，在地獄受苦的衆生，就可以超生了，就可以生人、生天。這就是神通變現。

第二個是記說變現。記說變現也是菩薩哀憫這個地獄苦的衆生，思念什麼，就來給他說什麼法。菩薩是有神通的，因機說法，心裡念什麼，佛就給他說什麼法。令衆生借這個法力，從地獄出來了。假菩薩的降伏，以這個說法的力量，從地獄出來，生到天人之中，受到快樂。但是，這是菩薩的他心通。衆生可以在地獄能感到菩薩來說法，只是機會太渺茫了。

怎麼樣才能感受到呢？除非在你這一生之中，沒下地獄之前，或者對地藏，對觀音、普賢、文殊，或者阿彌陀佛、釋迦牟尼佛，你有誠懇的信仰力，而且每一種業去還報。雖然臨終的時候，正念掌握不住，還報就下地獄了。但是你的善根力量很強，就感應佛菩薩。這個衆生他現在下地獄了，過去他跟我有因緣，有一定的修爲。那樣子，菩薩才能跟你互通得到。或者仗六親的力量去求懇祈，請這位菩薩去救度，就像地藏菩薩的母親，由於她的感招，她的母親可以生天了。像目犍連尊者，他的母親墮到餓鬼道。想以他的神通力量救他的母親，可是他的力量不行。他給他母親的飲食，都變成火。他就求佛救他的母親，佛叫他在七月十五日盂蘭盆會，供養大衆僧，假供養大衆僧的力量，以這個力量超度他的母親，以大衆的施食，就可能得到飲食了。這種是神變，說法的神變。如果在地獄還能聞到菩薩說法，那就不容易，比我們現在到法會共同學習，難得多。

第三種是教誡變現，也就是菩薩發了慈悲心，說法來教誡他，藉這個教誡，得出地獄，能夠拔禍，但是得有漏盡通的大菩薩才能夠到地獄。有這三種神變的菩薩，或者示導，或者示現，或者教化，很不容易。這是佛在經文上說的。

這個國王，或者政府，對他的國界，凡是有危險處的，說他那個地方可以作遊樂場所。那個地方建大都市，這些都是防犯外敵侵入，又防犯偷盜搶劫。所以在他國界之內，使外敵不容易藏伏、侵略。他就設置種種巡邏防犯，安置在國境，使怨敵惡友不能夠藏伏到我們的國家。同時使這個國家的人民安居樂業，離諸迫害，離諸苦難。這個國王成就這個王輪，之後，他的國家就增長安樂，生活有保障。同時，怨敵惡友，常時不來侵擾，人民安居樂業。

人家說心廣體胖，心要寬敞一點，身體會胖。如果是國界很安定，大家沒有顧慮，無論士農工商都很好的，管你做什麼，你心安了，自然就增長福壽了，沒有什麼憂愁了。最損傷身體壽命的就是憂愁。為什麼要憂愁呢？生活沒有保障，身體受侵擾。你看到哪一國家的生活比較好一點，就證明那個國家的法律、政治，對他人民的關護就好一些。如果這個國家保護不了他國內的人民，這並不是說天災，而是說人禍。以下就說佛輪。

「善男子，如是如來以其佛眼，如實了知一切有情補特伽羅，有貪有瞋有癡心等，如實了知是諸有情種種煩惱病行差別。如來知已，便起無量精進勇猛方便勢力，隨其所宜，授以種種修定妙藥，令諸有情精勤修學，除煩惱病。」

「善男子，如是如來以其佛眼，如實了知一切有情補特伽羅」，補特伽羅，有十種補特伽羅。補特伽羅是個名詞，就是指輪迴受生而言，第一種的補特伽羅是不種善根的。在過去世中或者現生中，他沒有菩提的善根，也沒有發過心。不種善根，就是作惡，沒有作善事的因。

第二種，他未修福業，沒有對人家作過布施，換句話說沒有幫助過人，乃至於沒有接近過佛法。要接近過佛法，才說受戒、持戒。未修福業，也是多作惡行的。

第三種，雜染相續，也就是貪瞋癡，身邊戒禁邪這些煩惱很多，這也是沒有善根。貪瞋癡的雜染很重，而且相續不絕，也就是不間斷作貪瞋癡的惡業。

第四種，隨惡有情。因爲他的善業惡業，好像是不定性的。遇著善友了，他就學善了。遇著善友，他就學善了。遇著惡友，他就去行惡了。這是說由於他過去的善根少了，遇不到善友。要是遇到善友了，他又不能夠跟著善友共同作善事。現在有很多人也信佛，也接近過佛法，乃至於受過三歸。後來他犯戒了。犯什麼戒？犯了三歸，歸依邪道了。他不能深入正道，跐著惡友惡知識，把他一引，就趣向邪道了，就隨惡友行。

第五種，不畏後世苦果。造惡業的，他不信因果，不畏後世因果。這一類衆生，不信因果。他說：「死了就結束了，還受什麼後報，受什麼後有？」所以，他不畏後世苦果。這一類補特伽羅，貪欲心，無厭足，特別猛厲，財富永遠沒有止境。我們看那些國王、政府的官吏，乃至於大資本家，大財團，沒有止境的。有十億就想一百億，有一百億還想一千億，把這個地球都給他，他還想往空中去佔太陽、佔月亮，永遠不會滿足的。當國王不夠，還想當轉輪王，想當這個地球的球長，那就大了，這是不可能的事。猛厲貪求，永遠沒有厭足。這一類補特伽羅，猛厲的瞋恚，猛厲的愚癡。煩惱來了，沒辦法止息，特別是瞋恨心來了，很厲害。貪瞋癡三個都差不多，但是，癡又厲害一點。這個癡就是對一切境，他迷糊了，起諸邪見，滅裂正法。

有些道友們，已經信正法了，因爲信的很久了，他爲了某種利益，或者是身體上的病苦，如果相信因果的話，就知道這是宿業，我還了，就乾淨了，這是一種。或者作生意失敗了，損失了，他遇見一個胡說八道的、有神通的人，「我幫你發財！」他就相信了，忘了歸依佛、歸依法、歸依僧。甚至教他不要再信佛，不要再供養僧，不要再接近出家人，這是愚癡的罪，這種現象很嚴重；這種補特伽羅也是如此，這是由於他過去善根積的不深。

第九種補特伽羅是迷惑了，其心迷亂，心無所主，不作善業。

第十種是守惡邪見，不信如來正教，堅持外道的邪見。

這十種補特伽羅，當然會墮到畜生道，墮到餓鬼道。我們是有善根的補特伽羅，跟這個相反的。但是我們也有貪瞋癡，不過不是這種補特伽羅的貪瞋癡。他是相續不斷，不肯止息。懂得這個意思，我們還是很慶幸的。因爲補特伽羅的貪瞋癡心很重，佛爲了救度這一類衆生，把他的種種病，不是單指身體生病，凡是有煩惱的，這就是病態，有種種煩惱病，不只是身體病，心理也有病，也就是害了種種煩惱病。就像一個國家險阻危難很多。不論大陸也好，台灣也好，加拿大也好，美國也好，我們在那兒去看一看，跟這個剎帝利灌頂大王所要求的清淨國界，距離都很遠。因爲我們這個時代不同了，貪瞋癡特別重，這個時代絕對不同，你每天所遇到的，所見到的，乃至你思想所想到的，這種種貪瞋癡煩惱病的差別，如來是清清楚楚的，佛跟諸大菩薩要想度這些眾生，不是隨便就能度得了。

在《地藏經》第八品上，閻羅王、大鬼王說，地藏菩薩發這麼大願，怎麼還度不完呢？爲什麼度完了，之後，他們又回去？剛從地獄出來，沒好久，好像又回去了。佛就跟諸大鬼王說，閻浮提眾生，剛強難調難伏。你要修理好你的國界，讓敵人滲不入，確實很難得。現在的國王恐怕沒有這個力量。從天飛下來，地下爬上來，修福業可以免除，要是不修福業，人爲的還可以說，你可以想辦法對治一下。水災、風災、火災，有什麼辦法呢？諸佛菩薩曉得眾生的痛苦，他就生起了無量精進勇猛的方便勢力。這要經過無量劫的精進修行。像我們這些道友們發大菩提心救度衆生，你自己懈懈怠怠的，連自己都救不了，怎麼救別人呢？必須精進。

我們的勇猛確實不夠，勇猛不是對待別人，而是對待自己的煩惱。自己對自己的貪瞋，要勇猛一點。要是打敗仗了，你的瞋心永遠是愈發愈大。要勇猛地把它消除了，把它克制住了。要用什麼力量？要忍耐。忍是很不容易的，在心上插把刀。你怎麼忍受呀？往往我們的氣來了，就忍受不了。古人說，氣如下山的猛虎，當人一發脾氣，瞋恨心來的時候，誰勸他也聽不進去了，就得靠他自己的智慧制止。用忍耐力，用降伏力，莫發脾氣。經常給人一個歡喜笑容，學一學彌勒菩薩的慈悲。你給人家哭，人家就還你一個哭。他罵你，你也對他笑，他打你，你也笑容對他，他就不好意思了，也打不下去。這就是瞋恨心。貪心也如是，貪瞋癡都差不多。

佛對待這類衆生，自己精進勇猛，用智慧力，用方便善巧，用這種的力量。但是還要會觀機，看這個衆生應當有這種病，要吃那幾種藥。瞋恨心很重的人，你勸他說：「你不要發脾氣！」他就信啦？他不見得信吧！如果你的勢力比他更強，他的瞋恨心生起了，就想打。他想打，當你把他制服了，把他打倒下了，他的瞋恨心也沒有了，讓人制服了，他就老實了。強淩弱，衆暴寡，勢力這兩個字就含著這個意思。我們知道觀世音菩薩，在漢地現的是慈悲相，大都是示現女相。在西藏現的是護法相，是凶猛的夜叉相。

這就是屬於種種修定的妙藥。妙藥就產生妙樂了，就治你這種貪瞋癡的病。靠的是什麼呢？靠定力。你說不貪，像有一位道友向我懺悔，他在這間廟裡住的時候，走的時候，一定要偷一件東西走，如果一件東西都沒有拿，心裡頭簡直是不舒服。不論在哪間廟住，那間廟再窮，他也拿一件東西走，實在沒有拿的東西，他就把佛像前的供器揣下就走。一走出去，他都送給別人，他並不是要佔爲己有。後來，他跟我求懺悔，他說：「我不曉得爲什麼，心裡明明知道這是錯誤的，知道這是犯根本戒的，知道這是盜三寶物的，非下地獄不可，而且還是無間地獄。知道是知道，作還是照樣的作。我今天跟您說一說，也算懺悔吧！我說了出來，以後可能不會作。」我說：「跟一個人說可不行，你到這間廟，就跟這間廟說，我是要偷東西的，要大家注意我，監視我，使我別偷了，或者你們替我懺悔。」這種勇氣是不容易有的。當一個偷人家東西，你讓他坦白，而後要遏止他，制止了。這是很不容易的。

貪心，人人都有的，要是徹底斷了根本煩惱，你就成了。斷不了的！偷的心沒有了，不過佔便宜的心，很多人恐怕是有。也有人不佔他人便宜，凡是人家的物，絕不生妄想。這類的人，他過去的善根很深厚，看見屬於人家的物，不但屬於人的物，對於一切的物品，一切的物質，他都不生貪愛。何況會佔有呢？自己的，都想捨。甚至觀想到自己的身體，知道是假的，誰要，我也給他。不過，我看台灣那些捨器官的人是等死了之後再來取。我說：「你要是眞的發菩提心，給他就算了。誰需要，就在我身上取，我給你。」

我問過醫生，我說：「假使我八十歲，我要捨我的器官，給那些三十多歲的人，合適不合適？可不可以？」他說：「那也活不了幾天。安上去，還是可以，也得看你的體力，看你這個器官是強是弱。如果這個器官本身就有病。你捨了，擱到他身上，本來他別的器官沒有問題，你移到他身上，糟糕了，他反而受到損傷。」這一點，醫生都很清楚。要是眞的捨器官，當時就捨，給他就好了。捨不得，等死了之後，你死了，反正也要燒掉，你作不了主，你捨不捨也等於零。不過，他沒有發這個願，沒捨的時候，別人不敢割他的器官，否則是犯罪的。

因此，必須得有這個勇猛修定的妙藥，才能除得掉。連自己的身體也經常這樣修觀，就有定力了。有這種定力，你還有什麼捨不得，還想去偷別人東西嗎？自然不會。要經常的觀想忍辱，不跟任何人發脾氣。一遇上違順事，不順心，或別人惹到我，自己馬上就警覺了。「這是我修行的好機會！這是我懺悔的好機會！」如果經常這樣想，你的貪瞋癡現前，能這樣對治，還會愚癡嗎？這就有智慧了。沒有智慧是作不到的。練習對治自己的貪瞋癡，遇到這種境界現前，就克服了。佛答應給我們的妙藥是什麼呢？就是這些法。你就學佛的方法，學的時候，要精勤的學習。

我想大家就在這個時候，我要是呵責你，或者哪個道友說你幾句，或者你打瞌睡，他打你一下子。你往往會生起瞋恨心。如果我沒講的時候，你聽你的，關你什麼事，我確實看見過。之後，兩個人就吵架了。我說：「你吵什麼？」他說：「他打瞌睡，叫他有精神一點。」那時我在南普陀寺講《華嚴經》。我說：「以後注意一點，人家幫助你，你應當懺悔你的癡。」完了又發瞋，貪瞋癡都具足了。我說：「你幫助他本來是好事，你跟他吵架，你的瞋心又發了，等於不是幫助他。」很難！我們在講這部經的時候，大家有一線光明，貪瞋癡都制止了。

這樣的長期學習，若能夠精勤的學習，就可以減少你的病苦。人最大的病苦，就是煩惱病，並不是身上害的癌症，那都可以轉變，可是貪心很難轉變。你想要轉貪瞋癡，很難！那是隨你無量生來的，怎麼能轉得動？現在的這個病，只病你這一生，這世沒有了，再換個面貌，不曉得變成什麼樣子。我們在這裡，男相、女相、老相、少相，隨時在變化的。未成佛之前都如是。大家都知道提婆達多是最反對佛的，他下地獄了。但是，他過去是給佛說大乘法的師父，我們往往只看到眼前的境界相。

「若諸有情，宜修不淨，除煩惱病，即便授以修不淨藥。若諸有情，宜修梵住，除煩惱病，即便授以修梵住藥。若諸有情，宜修緣起，除煩惱病，即便授以修緣起藥。若諸有情，宜修息念，除煩惱病，即便授以修息念藥。若諸有情，宜可修於三解脫門，除煩惱病，即便授以修於三種解脫門藥。若諸有情，宜修靜慮，除煩惱病，即便授以修靜慮藥。若諸有情，宜修無色，除煩惱病，即便授以修無色藥。若諸有情，乃至宜修首楞伽摩諸三摩地，除煩惱病，即便授以首楞伽摩三摩地藥。」

一切有情應當修不淨觀，我就給他用不淨觀修煩惱病，授給他不淨的藥，給他說不淨觀的法來對治。他肯吃這個藥，也就是他聞了法，他的病就好了。有一些眾生，宜修梵住的，梵住是清淨，修清淨行，或者持戒，或者忍辱，都是梵行。梵者就是清淨義，除煩惱病。我就給他修梵住的藥。修四念處，或者修五根、五力都可以。

「若諸有情，宜修緣起」，懂得一切諸法是因緣生，沒有實體。這個眾生修空觀很好，就給他說緣起，一切法是緣起，一切法無自性，一切法的自性本體是空的，那叫緣起性空。

「若諸有情，宜修息念」，息念是止息雜念，就像持念來去也可以的，這就是息妄的，息妄可以除掉你的煩惱病。

「若諸有情，宜可修於三解脫門」，也就是空、無相、無願三解脫門。這是修空觀的，修無作的，修無相的，這是三解脫門，就給他三解脫門的藥。

「若諸有情，宜修靜慮」，靜慮就是定，修三昧的，就是用定去除煩惱病，那麼給他修靜慮的藥。

「若諸有情，宜修無色」，無色就是除煩惱病，前面講無色處定，觀一切法無有形相的，也是跟修空相似。這個無色可能是色受想行識的五蘊，以一個色法來代表。前面是說修心，這裡說修色。

「若諸有情，乃至宜修首楞伽摩諸三摩地」，也就是大定，首楞伽三摩地定，修這個定就是究竟定，無上甚深百八三昧的，那麼就授以首楞伽摩三摩地的藥。

「所以如來授諸有情如是法藥，不令一切所化有情，爲四魔怨之所繫攝，不令一切所化有情，背人天乘，向諸惡趣，不令如來無上法眼，三寶種性，速疾壞滅。」

「如來授諸有情如是法藥，不令一切所化有情，爲四魔怨之所繫攝」，這是總說。授到首楞伽摩三摩地的藥，就究竟了。這種法藥所說的法，他肯接受，肯受持，就算服藥了。服了藥，煩惱就沒有了。這是第七佛輪。這個佛輪就是使一切有情不爲四魔所繫攝，繫是繫縛，攝是攝持。

四魔，第一個就是五蘊魔。五蘊就是色受想行識，這是一魔。還有，煩惱魔，煩惱就包括了見思煩惱。還有，死魔，我們對死魔非常恐懼，沒有人想死的。不得已，自殺也還是有。死是不愉快的。凡是自殺的，比那個正常死的人，痛苦要加上一倍，下地獄如射箭。你說這個煩惱受不了，想卸脫責任，自殺了事，一死，就完了。這絕對是錯誤的觀想。自殺跟殺人在戒上是一樣的罪過。不可以自殺！

佛在世的時候，有些比丘接受佛的教導修持不淨觀。他對身體厭惡到不得了，不淨觀修好了，看那個身體簡直是蟲子，雜穢不堪的，他對自己的身體厭煩到極點了，不淨觀修成了，就會有這種現象。可是他沒有發菩提心，沒有念念度衆生。所以，他修成了不淨觀，自己就想怎麼樣超脫乾淨。如果是度衆生，有大菩提心，他是不會自殺的。他認爲一切衆生都是這樣子，可惜衆生不明白的，用自己實際的現象，跟大家說。他說了，別人也看不見，他自己觀照，修不淨觀修成了，他怎麼辦呢？自殺是不成的，他就僱那些印度的外道，把衣物、衣單都給這個外道，請他把自己殺了。那外道爲了錢，就把他殺了。後來佛知道了，不許自殺，他殺也不行。自己殺不成，顧人他殺也不行。這是在戒律上講的故事。

這叫死，看怎麼樣去觀想。死是障礙我們修道的。如果你正在修道的時候，死於非命。非命是你不該死，障道因緣。這一種障是一種魔，死魔。

還有，天魔，天魔就是所謂的鬼神。當你修道修到一定的程度，要成就的時候，天魔來了，他就化現種種相。像釋迦牟尼佛要成佛的時候，魔王波旬就率魔兵魔子來圍繞著擾佛。天魔是給你作障礙的。這是天魔。你念經，看見鬼，或者是鬼來了，身體發燒，或者見什麼相。那不是壞事，不是你的眷屬來不到你的跟前。不是你過去多生的父母，或者六親眷屬，他們不會到跟前來。他們是來找你超度的，不曉得你會害怕，只曉得你是他們的人，所以他們來了。來了，看是那一類的，有一類的衆生，他的威神很大，你身上就會感覺到發燒。或者天人，天神，來聽你念《地藏經》，念〈普賢行願品〉，念〈普門品〉。你跟他有感應，有相通，他來增福了，你就會感到身上發燒。

眞正的鬼來了，你就會感覺到身上發冷，一陣寒一陣冷的。你照樣念經，沒有事的。等你經念完了，沒事了。有的人不念了，他說：「我不念，就沒有了。」我說：「你不念當然沒有。」他說：「我永遠不念了。」我說：「永遠不念就糟糕了，你繼續再念就不會有了。」這就是魔障。這不是魔，要辨別清楚。

佛輪運轉的時候，使這些人都不違背人天乘，或者作人生天，最低的也不違背人天乘，不趣向三惡道。同時，使如來的法，如來的法眼三寶種性，不能滅壞。所化的有情，使他們不背人天乘，不向諸惡趣。對如來的法眼，三寶的種性不滅壞。速疾滅壞者，像我們對釋迦牟尼佛的法，就是速疾滅壞，滅壞很快。正法五百年，像法五百年，末法一萬年。雖然是這樣說，這些都是不準確的，隨著眾生當時的業如何。末法的時候，也還有正法存在。只要有讀誦大乘的，有三寶在，有佛像，有法寶，有僧眾又有三寶，有我們植福的地方，就可以當成正法。

現在我們學習，就是正法。如果離開這個去造罪，那就是末法。那個時候分正法、末法、像法的意思，正法就是說證道成道的意思，一入佛，一聞著，他就開悟，就明白了，就證道了。到了末法時候，天天在學，煩惱不容易斷。因爲我們薰習的力量不夠，也許幾個月，聽上一兩回，或者幾年碰上一回，就修一修。可是這個怎麼修行？佛要求我們一聞著法，馬上就修。修完了，就證得。這種修叫精勤勇猛，才能夠除煩惱。

「由是如來授諸有情如是法藥。善男子，我成如是第七佛輪。由此輪故，以其無上遍行行智，授諸眾生種種法藥，令勤修學，除煩惱病，得安隱住，得無驚恐，得無所畏，自稱我處大仙尊位，轉於佛輪，摧諸天魔外道邪論，處大眾中，正師子吼。」

地藏菩薩這樣問，佛就這樣答覆第七佛輪了。「遍行」有五個，他是跟別境相對的。五個遍行，是作意、觸、受、想、思。第一個是作意，作意就是我們的心這樣想，作意想。受是領受，受是什麼形相呢？人家打你，你感覺痛，人家給你按摩，你感覺舒服，說不出是什麼形相。這就是領受的意思。例如，別人要是讚揚你，你也領受這個聲音。罵你，你也領受，你會生起煩惱，或者會跟人吵。人家讚揚你，你心裡高興。受就屬於心法的，不能用形相形容的。想，也是遍的，遍行跟別境不同，是遍一切處的。想就是思想的想，你的想作意了。作意跟想，有點不同。想只是思惟，作意是想辦法。〈大乘百法明門論〉對這個講得很清楚。第四個，思。思跟想是連一起的。思是思惟，自己思惟。想，有時候加著回憶，所以，略有不同。還有，觸，就是接觸。觸跟受好像一樣，其實並不一樣。

這五個是遍。以無上的遍行，會引起煩惱，這得有智慧，沒有智慧是斷不了煩惱的。你要是精勤，就除了煩惱病，得到安隱了，沒有驚恐，再也不害怕了，無所畏懼。佛自稱說，我處大仙的尊位，處佛的地位，轉的是佛法輪。這個輪能夠摧滅一切天魔外道的邪論，處在大衆中，正師子吼。

「善男子，如剎帝利灌頂大王，憶念自他本昔種姓，初生童子嬉戲等事，謂憶自他於如是處，初生沐浴，懷抱乳哺，按摩肢節，乃至戲笑，或弄灰土，或與侍從種種遨遊，或習伎藝，或復修營種種事業，或遊他國，夙夜栖泊。或奉事王，或理王務，或爲太子。或登王位，得大自在，受諸快樂，廣大名稱，遍諸方維。念是事已，安立先王所遵正法，撫育一切國土人民，守護自國，不侵他境。善男子，剎帝利種灌頂大王，成就如是第八王輪。由此輪故，令自國土增長安樂，能伏一切怨敵惡友，善守護身，令增壽命。」

這個國王回憶過去，從小孩的時候開始，和大家一樣，或者弄灰土，或者服役，去遊玩。或者學習各種伎藝，或者修習種種事業，就是回憶當徒弟或者當學生時候的事。說這些做什麼呢？嚮往過去的時候，他現在該怎麼做？

這些灌頂大王過去的時候，自己從童子乃至到成長的時候，在先王法度之下成長的，他回憶先王的法度，那麼好的！我就發揚。不好的，我就改進，也叫革命。凡是改革的革命，就是把人家不良的部份革掉。可是歷史的發展恰恰相反的，把好的都去除掉，他革的就是照著壞的去做。我看到歷史的發展就是這樣子。佛教徒說弘揚佛法，不弘揚還好，滅得慢一點，愈弘揚滅得愈快。佛堂愈多，冒牌的三寶弟子愈多，大家必須具足正法眼。

所以，他憶過去，就是他用先王的正法，用先王那些國度所行的法。撫育現在我國的人民，自己國土保護好就成了。這樣子，使他國內的人民都能夠安居樂業。這是回憶過去的，釋迦牟尼佛也回憶過去！

「善男子，如是如來處大眾會，憶念自他宿世所經無量種事。謂憶一生，或二或三，乃至無量百千生事，或憶成劫，或憶壞劫，或憶無量成劫壞劫，曾於過去住如是處，如是名字，如是種姓，如是種類，如是飲食，如是領納苦受樂受，如是壽量，如是久住，如是極於壽量邊際，從彼處沒，來生此間，復從此沒，往生彼處，憶念宿世如是等事無量無邊，隨諸眾生根性差別，建立正法，爲作饒益，善男子，我成如是第八佛輪。」

當會大眾，我所教化的一切弟子，他們千百億生都幹什麼？應機說法。或者在壞劫當中，這些弟子們跟我都作什麼？在成劫當中，我們都做些什麼？一個大劫，有成住壞空四個劫，成二十小劫，住二十小劫，壞二十小劫，空二十小劫。壞劫就是在成劫與空劫之間，世界已經壞了，地球完全沒有了。壞至究竟的時候，大三災，就沒有，空了。完了，漸漸又凝成、凝結。星雲漸漸又成了，成二十個小劫，住二十個小劫。現在我們是在住劫當中，並不是壞劫。

在住劫當中，憶念這些地方在劫的時候，經過這麼多的時間，還經過很多的處所。釋迦牟尼佛曾經在經典上這樣說，這個娑婆世界，這個三千大千世界，沒有一個微塵處，不是他捨身命的地方，也就是說，他在娑婆世界度眾生，太久了。乃至於在這個世界作眾生也很多，捨身命是爲了利益眾生，過去，我住這兒，你也住這兒，他住那兒叫什麼名字，種種種姓，如是什麼種類，吃的什麼飲食，領納苦受樂受，壽命好多，或者是久住，或者壽命很長。「從彼處沒，來生此間」，又生到此處來了，從此處沒了，又生到彼處去了。憶念宿世如是等事，無量無邊，太多了。等大家成佛的時候，回顧一下子，就知道你的過去生是無量無邊了。

當你念經的時候，作夢是假的，不是眞的。但是我作的夢，有時候簡直就是眞的。又作夢，那夢是假的。但是有時候，這個腦子把它當成眞的。爲什麼這樣說呢？我確實有過這種感覺。

我在紐約的時候，我作一個夢，好像是從元朝那個時候開始夢起，今天晚上沒作完，醒了，明天晚上只要一沾枕頭，又作夢了。就像寫章回小說似的，那個夢就接第二回，如何如何。後來醒來，就不夢了。這本來是假的，因爲我自己證驗我的夢，從作夢出家，朝九華山是作夢去的，到鼓山也是作夢去的，到了鼓山之後，就不夢了。到那兒去就沒有了，以後就不夢了，現在一直我希望還是夢指點我。不夢了，不夢的時候，我又迷了，比那個時候迷的更深了。這是我自己的壞事。

雖然說夢是假的，但是它給我的方向，我認爲它是眞的。那時候也沒有接觸過佛法，什麼都不知道，作了一個夢，我就出家了，因夢而出家。我師父給我起個名字叫「覺醒」，說覺悟了醒了。後來我想這個名字不大合適，我好像還沒有醒。我說我是作夢，「夢參」是我自己取的，跟「覺醒」湊巧相反的。

前幾天，我還偶爾想到我的師父修林老和尙，我念經時，想到剃度師父所起的名字。我想，我什麼時候能醒呀？現在都快死了，還醒不了，還是在夢裡頭，還在參，現在連參都不參了。爲什麼？老皮參了，老了就皮了，不像年輕的時候，剛學法的時候，剛修的時候。所以，修道想斷煩惱很難，我是親身體驗到的。我個人的經驗，出了六十多年家，現在距離還是很遠很遠的，一點把握都沒有。你別以爲我在說瞎話，一點瞎說都不說。

所以佛教導一切衆生的時候，根據他過去的種種差別。佛說法，我們馬上就成道了。誰要是不成道，我們也要眞正發菩提心。像我們一講，講幾個月，講者、聽者恐怕還都沒有進入，只是種一個未來的善根。這點我們是肯定的，雖然沒有大的好處，但是這個好處還是不小。有什麼好處呢？我們念《地藏經》，講《占察善惡業報經》，講《地藏經》，講《十輪經》，地藏菩薩總得注意我們一下。

所以，我們聽的、念的，就寄託在地藏菩薩身上。我每次念地藏菩薩，我就這樣想。地藏菩薩，我和道友們都寄託在菩薩您身上，希望菩薩快點救我們。這就是你的心已經嚮往了，地藏菩薩就來了，其實是你自己度自己，求人不如求己。求己，你能求到什麼呢？念、讀，自己看一遍，也會感招地藏菩薩。地藏菩薩給你講，你就更容易開悟了。爲什麼要觀察過去呢？因爲如此，才會知道他們的根性，也知道佛過去跟我們的因緣。我們雖然是佛的末法弟子，就是能在末法上感到大乘法寶還在，僧寶還在，佛寶還在，也就是住世三寶。泥塑木雕的像，就是佛寶，三藏的經文，就是法寶，剃髮染衣就是僧寶。你能夠見到僧寶，如果經常跟佛法僧三寶在一起，會很快得度的。

我們有時候說，煩惱很重，業障很深，消極得不得了。我們就往這方面想，種不少善根，現在還可以跟佛菩薩經常在一起，有些人晚上睡覺還在念，有時作夢還在念，有些道友還能作到這樣子。你還有什麼恐懼呢？因為你學法，就沒有恐懼，也就是成就了第八佛輪。

「由此輪故，利益安樂無量有情，得安隱住，得無驚恐，得無所畏。自稱我處大仙尊位，轉於佛輪，摧諸天魔外道邪論，處大眾中，正師子吼。」

以上是第八佛輪。

「善男子，如剎帝利灌頂大王，隨念觀察自國有情種姓伎藝，及諸事業，死此生彼，因果勝劣，差別不同。知彼有情生如是家，其身勇健，或復怯弱，於諸伎藝已學未學，所有事業善作惡作，富貴貧賤，端正醜陋，如是等類，乃至命終。或有自業未盡而死，或有自業已盡而死，或犯王法刑戮而死，或有遞相殘害而死，或因鞭杖捶楚而死，或因囹圄幽縶而死，或因習學伎藝而死，或因戰陣傷殺而死，或因鬥諍毆擊而死，或因財寶貪悋而死，或因色欲耽湎而死，或因忿恨結憤而死，或因勞倦頓弊而死，或因飢渴乏絕而死。或有過死，或無過死，或耆年死，或壯年死，或幼年死，或作種種善業而死。或作種種惡業而死，知諸有情行善行者，身壞命終，當往善趣，知諸有情行惡行者，身壞命終，當往惡趣。知是事已，復自思惟，我當正勤修身善行，修語善行，修意善行，我當施設種種方便，修行布施，調伏寂靜，身壞命終，當往善趣，勿墮惡趣。此刹帝利灌頂大王思惟是已，勇猛精進，修身語意三種善行，常行布施一切所有飲食衣服，象馬騎乘，臥具醫藥，房舍燈明，及餘資具。奴婢僮僕，種種珍財，頭目手足，乃至身命無所悋惜，及離殺生，離不與取，離欲邪行，離虛誑語，離麤惡語，離離間語，離雜穢語，離諸貪欲，離諸瞋恚，離諸邪見。」

前面講五種遍行，重新解釋一下子。作意、觸、受、想、思，這是五種。這五種遍行起的時候是同時起的，沒有先後。作意是警覺的意思，這個作意就是說，如果心還沒有起的時候，這個作意就是使心能夠起，起念就是起境界相。如果心一起了，他就能夠引起觀境。觀就是對境的意思，觸是已經對境了。受就是領納，領納前境的意思。想就是取這個境界相。思是起心造業。這五種是同時并起的，所以叫遍行。

剎帝利王的第九王輪。這個國王有大智慧，他自己先看看那個國家的種姓、伎藝、工巧，這個國家作什麼事業，乃至於這個國土的人民，死此生彼，在此處死，生到彼方去。這個死此生彼的智慧不是宿命智，他並不是知道在這個世界死了，生到什麼地方去，而是根據他們所作的業，根據他們生前所作的事情，就可以判斷。他們現在所作的事，就是因。他們將來生到那個彼處，就是他們的果。生到什麼處所，他是定不了的，這位國王還沒有這種宿命他心智。這是說他觀察的時候，就觀察他這個國家的人民，種的因好不好，現在他們所受的果，爲什麼要受這樣果？過去所種的因不好，知道他們過去的因果是殊勝嗎？是卑劣嗎？現在爲什麼會有這些差別不同呢？從過去的果，就可以知道今生所作的因。生到一個好家庭、生到不好家庭，什麼叫好家庭？

什麼叫不好家庭呢？並不是以財富而論的。

在印度，生到婆羅門種，那就是好家庭，有知識、有學問。生到刹帝利種，就是富貴家庭。如果生到吠舍、戍陀羅，生到屠戶家裡頭，生到作業的家裡，勝劣就不同了。有的人生下來，一直在成長當中，身體很健康、很勇猛、很強健。有的人生下來就病病歪歪的，這就是怯弱的意思。有的人生下來很聰明、很靈俐，技術一學就會，有的人很難學會，很笨的。像過去的時候，技工跟師父學三年，有的人一年就學會了，各各不同。

所以善作惡作，富貴貧賤，生的端正或者醜陋，種種類類，乃至於命終，也就是他的壽命不一樣。有的人由於他自己作的業，不該命盡，可是死了，這就是他壽命未盡，卻短命死了。緣盡而死的，那就是正死了。俗家是這樣的看法。若死於自己家裡頭，叫壽終正寢。若死到外地，就是你造了業，不能壽終正寢，在流浪當中而死。如果犯了王法，被砍頭，或者被判絞刑，這是刑戮而死的。或互相的殘害而死，或者鞭杖、捶楚而死，受責罰或跟人在鬥惱，或關監獄裡頭關死了。乃至一生幽黯，死在監獄裡頭。或者因爲學伎藝，不論學哪一行，因爲誤傷而死的，這樣也有。或者兩軍作戰而死的，或者跟人家吵架而死的，或者爲了貪戀財寶而死的。

貪戀財寶這件事，我講一個故事。有位老和尚一生就留有一碇銀子，不小心掉到廁所，因爲憂鬱這碇銀子他就死了。命終了，他變成了一隻青蛙，就在廁所底下，抱著這碇銀子。這間廟裡的知客師很有神通，很有智慧，他知道這老和尚死的很不正常，就請人掏這個廁所。大陸上廟裡的廁所很深，掏起來很費事，就把這個廁所掏乾淨了，才拿出來。給他念經迴向，給他祈禱，就拿那碇銀子給他作佛事，幫他超度。這位老和尚幸遇這位知客師，若沒有遇著，他就永遠墮到那裡去貪了。像這種因爲貪戀錢財而死的，往往在經濟事業上失敗，財寶都損失了，或者心愛的寶物失掉了，因爲你的心力全部注意在上面，一失掉了，你的命也就盡了。這是貪吝財色而死的。

或者因爲色欲而死的。有的人戀愛不成，憂鬱而死的。有的人戀愛已成，也因爲貪欲而死的。或被人家害了，心裡頭平不了，力又敵不過人家，就忿恨憂鬱而死的。這樣子死的，種種類類的。或者勞倦疲弊而死的，或者飢渴乏絕而死的，或者有過死，或無過死。或者老年死了，或者年壯死，或者年幼死了，或者有種善業死的，有作惡業死的。

這個刹帝利王，他就根據種種死的情況來判斷。他說這個有情行善業身壞命終，他一定生到善處，生到天人道。如果作的很惡，作惡多端，這個人身壞命終，三惡道等著他，一定下生到三惡道。他看這個社會的事情，看的很清楚。不過，只限於這個國家的人民。對我們佛教來說，就不止一個刹帝利王，我們看到世間上，看整個人間，這是屬於四諦法。再說，就是世間法，一切佛法是不離世間的。佛所說的佛法是因世間而建立出世間。

我們有很多人活了六十幾歲了，經歷過世間好多事情。這經上所說的各種死，就是說壽命不一樣，有各種的死。那個時候還沒有車禍，要是有車禍，一定會有因車禍而死的。車禍有種種，也有因飛機而死的。那時只有船，過河被淹死的，這個是有，但是過河的工具不一樣。像我們坐的大輪船，有機器的輪船，那個很好，以前的木輪也不錯。如果在大家在西藏，在康西過河的時候，要是坐船，會把你嚇死的。那是什麼船呢？牛皮船。一層牛皮拔下來，用四個木棒綳起，把它晾乾，就拿這個過河。他就這麼划，一邊手一個，往這邊去他拿這邊划，往那邊去，他拿那邊划。坐在裡頭會把你嚇得發抖，浪一來，打起來很高，浪一下了，就落低。如果碰到急迫的浪，水就漫過了，就淹了，淹了也沒有辦法了。

這是講各種的死，死有種種樣樣的。這個刹帝利灌頂王，他修福的時候，觀察這個國界裡的種種現象，他就思惟了。他說：「生命無常，不能作壞事，只能作好事。我應當依著正確的道路，勤勞勇敢的去修行。」「我當正勤」，正者是正確的，不是邪魔外道的。自己來修身善行，身善行就是身業，善行就是不殺、不盜、不邪淫。修語善行就是口，不妄言、不綺語，不惡口，不兩舌，這就是修語善業。修意善行就是不貪、不瞋、不癡。

另外，還要作種種的布施，施設種種的方便。修布施也要方便善巧，調伏自己的心。他能夠得定，就是調息心靜下來，這樣子到了身壞命終，可以生到善趣，不墮惡趣。這位刹帝利灌頂王思惟這件事，以後他就勇猛精進。修身語意三業的善行，行善道。常行布施，布施什麼呢？飲食、衣服，一切交通工具，象馬車乘，乃至於睡眠的臥具，乃至有病的醫藥，布施房舍，布施燈明，乃至一切的資生工具，隨力量而行。

刹帝利灌頂王，他有這個力量。但是現在他還沒有當國王，這個時候他是修行人，因為他這個修行，這個思惟，這個施捨，不造諸業了，所以離殺生，離不與取，離欲邪行，也就是離了殺盜淫。身不作殺盜淫，口離虛誑語，麤惡語，離間語，雜穢語。雜穢語就是我們所說的綺語，離間語就是兩舌，麤惡語就是惡口，虛誑語就是妄語。離諸貪欲，離諸瞋恚，離諸邪見，也就是離貪瞋癡。

「由是因緣，此刹帝利灌頂大王，當獲十種功德勝利。何等為十？一者具大名稱，二者具大財寶，三者具妙色相，四者具多眷屬，五者少病少惱，六者朋友眷屬聰慧多聞，七者正至正行親近供養，八者廣美聲譽流振十方，九者大威德天神常隨衛護，十者身壞命終當生天上，常居善趣安樂國土。善男子，刹帝利種灌頂大王，成就如是第九王輪。」

由於十業清淨的因緣，刹帝利灌頂大王獲得了十種殊勝功德。不止他，任何有情衆生，如果是行十善業，看他十善業行的如何，有深有淺，像我們受五戒，離邪淫戒，如果他持戒，連正淫也不淫，他就可以生到梵天。他不說假話，說眞實語，不挑撥離間，盡說好話，給人家和善。那就翻過來了。這就是他的功德，人人都稱他是大善人，名聲好。由於他的布施，能得到大財富，布施的果報就是得到財富。我們認爲捨了就沒有了，恰巧相反的，未來你能得大財寶。有些財寶是福德感招的，是修行感招的。你的福報沒有了，這一切財寶都不屬於你的。

大家知道滿清末代的皇帝宣統，後來他坐監的時候，只有一個甥兒跟著他，那甥兒一直跟他到底，坐監也跟他在監獄。他的甥兒並沒有犯什麼罪，從小就在身邊照顧。跟著他坐監獄，可以照顧他的生活。他跟他叔叔藏了很多寶貝，從在宮中出走就一直藏著。到了蘇聯，乃至歸國，蘇聯沒有沒收，共產黨也沒有沒收，叫他拿著，看你賣給誰，後來他全部交公。我去年回南普陀，就碰見他。他現在學畫，姓愛新覺羅，變成一個畫家。

溥儀往生之後，共產黨對他也寬大了，他在藝術學院畢業，當了畫家。他在南普陀，我遇見他。我說：「你回到故宮的感想如何呀？」如果溥儀不死還做皇帝的話，他就算太子，溥儀死了，就由他接班。他說：「一切無常，也不屬於我們的，這究竟屬於誰呢？」他學佛學了很久，他懂得這個道理。我拿他當例子，因爲好多人都是求財寶，說這個東西是寶貝，値好多錢。你馬上會有不同看法，你會特別保護它，害怕失掉。其實，這不是你能保護得到的。

現在故宮的珍寶散佈於全世界。那些珍寶是怎麼來的呢？一代的帝皇有福的時候，在海裡頭掏出寶送上來的，也有從外國進貢來的。龍王鬼神都變現成普通的人，來給他進寶。當福報失掉了，什麼都沒有了，恐怕連飯碗都成問題了。什麼是珍寶？吃飽飯就是珍寶。

溥儀的大哥，在北京都叫大阿哥，他以前燒鴉片煙，抽白粉麵，都還可以維持，不至於垮得那麼快。可是，他賭錢，一夜之間大洋一萬兩萬的輸，賭大錢，把大王府大宅子都賣了。輸完了，沒錢幹什麼呢？那時候北京講拉黃包車，他得去拉黃包車。誰都知道，這是大阿哥拉黃包車。那個時候，他是親王，當你失掉福報，什麼都沒有了。這不是你用腦筋所能積聚的，一定要懂得這個道理。

「具妙色相」，人長得美，誰看見誰都歡喜，而且非常恭敬。有些人他就是醜陋，人家瞧不起他。如果他有內德，那還可以，如果內德也沒有了，就不受人恭敬。妙色相是殊妙的色相，不是一般的。就是說這個國王，如果能夠作這些善事，十善業作得好，乃至於又行布施。他現生就得到十種好處，具大名稱，具大財寶，具妙色相，眷屬很多。眷屬的涵義，大家不要認為非得是自己的子女、六親，並不是這樣的。我們是佛弟子，我們都是佛的眷屬，釋迦牟尼佛的眷屬。我們要是生到極樂世界就變了，就是阿彌陀佛的眷屬，那也是佛的眷屬。三寶弟子，不管破戒，乃至背棄三寶，佛還是攝受你，還是佛的眷屬。你要是持清淨戒，依著三歸，行十善，那就是好眷屬了。佛的眷屬不一定每一個都是大菩薩。在末法，佛的眷屬四眾弟子，有很多是壞的。但是佛不捨棄他，善根將來總是要被攝受的。所以，這個國王要作這麼多好事，國王的眷屬特別多，這個國家的國民都是他的眷屬。

第五種的功德就是少病少惱。很少生病，很少煩惱。乃至於外邊的所有境界都不惹他生氣，使他少煩惱。他正念現前，當然少病少惱。他的朋友、眷屬，都是有智慧的。又多聞，多聞是指聞法說的。我們把它擴充一點，有世間的伎巧工藝，各種的技術，通通學得到，他聰明，多聞就是多聞法。正智正行，他所作的都是好事，都是正常的行爲，都不離開十善，總說是這樣子。親近供養佛菩薩，供養三寶，乃至供養施捨一切人。

「廣美聲譽流振十方」，這位善王到了現在我們還流傳，像阿育王造的八萬四千座佛塔，遍佈於這個娑婆世界，天上人間、龍宮都有。人間還算是很少的！在人間，我們的國家只有寧波的阿育王寺，其它的地方也說是佛舍利，並不可考。現在佛牙還可考，法門寺的佛指舍利還可考。佛舍利，只有阿育王造的阿育王寺，只有那一顆。但是在我們人間的佛堂裡頭，佛舍利太多了。這也是佛舍利，那也是佛舍利。

我在台北的時候，有位弟子說，有人拿佛舍利要賣給他，他買了很多佛舍利。有一瓶之多，供在那裡。你作佛舍利供養也好，連紙像都是佛舍利，但是，眞實的佛舍利只有一顆。名望聲譽，我舉阿育王爲例子。像唐太宗，大家都稱爲他賢君、聖君，唐朝佛法持別興盛，在近代比較享福的皇帝就是乾隆，作了六十年的太平天子，什麼事也沒做，就是作作詩，旅遊，看看風景，這就是他的事。這個皇帝作的很好，他的下一、二代也還不錯，這就是廣美聲譽的報酬。

「九者大威德天神常隨衛護」，有威德的天神，他是見不到的。北京經常講乾隆的故事，關聖帝君到處都有廟，那是乾隆頒佈的政令，訂成國家的法律，每個縣每個鄉村都修關帝廟。爲什麼修關帝廟？那是在乾隆的時候才興起的，以前並沒有，之後你到每個村鎮上都有關帝廟的。關帝聖君也顯聖的，因爲關帝聖君護持乾隆。有一天他上朝的時候，他聽到後面有武器的聲音，他不認爲有人會刺殺他，知道這是神來保護他。他說：「何人護駕？誰來保護我？」他後面的聲音答：「二弟雲長。」他就知道自己是劉備轉世的。皇帝都是很聰明的，他就問：「三弟何在？」關公答說：「鎮守遼陽。」也就是東北遼陽。不過，那位鎮守遼陽的將軍沒有福報，乾隆一聽說，就調他進京，心太急了，用金牌調。接到金牌之後，立刻就動身，晝夜兼程的來，這叫金牌調。這一調，那位將軍以爲自己犯了很大錯誤了，不然怎麼會用金牌調呢？他服毒自殺了。這只是故事。這就是「大威德天神常隨守護」。

像我們受戒的時候，你受了三歸，受了五戒，就有護法善神護持你。你一破戒，他就離開你。凡是受過三歸五戒的人，他遇到的危難很少。北京那時候，有吸鴉片煙的和尚，死的時候還是死在廟裡頭。那個時候，日本侵略，佔了北京之後，我還在北京，好多和尚吸鴉片煙，廟裡也有錢，沒有錢就一處一處的賣廟，這些廟都很大，隨便賣點土地，都夠他燒一兩年。但是他也不會死到街上潦倒。

在我們家鄉有一個傳言，冬天零下幾十度，大蔥是凍不死的，還是照樣生。有多少災荒，多少災難，還沒有看見潦倒的和尚，俗語說：「餓不死僧，凍不死蔥。」所以有人說沒飯吃，出家當和尚去。在北方，這種的風俗很重，那個時候農村的廟，和尚不吃素的，都是吃葷的。雖然廟裡頭不准和尚娶妻，但是他也沒受戒，還有外家，什怎麼叫外家？他的家在外邊，不在廟裡頭，這叫外家。末法就是這樣的。

面對這種現象，佛不准謗毀他，不准刑戮他，不准用國法制裁他，因爲他是三寶種姓。你要是作善業，就有威神來護法你。當你身壞命終，就生天上，常居善趣，安樂國土，就是天上人間。這就是剎帝利灌頂大王成就了如是第九王輪。

「由此輪故，令自國土增長安樂，能伏一切怨敵惡友，善守護身，令增壽命。善男子，如是如來如實了知一切有情死生等事，謂如實知若諸有情，成身惡行，成語惡行，成意惡行，謗毀賢聖，具足邪見，邪見業因，身壞命終，墮諸惡趣，或生地獄，或生傍生，或生餓鬼。若諸有情，成身善行，成語善行，成意善行，不謗賢聖，具足正見，正見業因，身壞命終，昇諸善趣，或生天上，或生人中，或盡諸漏。如來如是如實知已，於彼衆生起大慈悲，勇猛精進，現三神變，令彼衆生，歸趣佛法，教誡安置，成立世間出世間信。」

「由此輪故，令自國土增長安樂，能伏一切怨敵惡友，善守護身，令增壽命。」這個國王就很好了，不但他好，這個國界裡頭沒有作惡的。「善男子，如是如來如實了知一切有情死生等事」，像這種事，以佛的智慧如實了知，就是稱性而理解的。對於生死，作好事作惡事，佛都知道。在十種智，善知一切衆生的生死去處。要是這一切有情，他的身惡行，語惡行，意惡行，也就是身口意三惡惡行都成就了，惡業成就了，有這些惡行的衆生，他是謗毀賢聖，對於賢聖有德的人都謗毀，具足邪見。由於這個邪見的因，他死了之後，就墮了三惡道，就墮入地獄餓鬼畜生。「或生地獄，或生傍生」，傍生就是畜生。或生餓鬼，就是三惡道。

如果反過來說，這些衆生要是身善行成，語善行成，意善行成，他成就了身善行，成就了語善行，成就了意善行，不謗毀賢聖，也就是正知正見，不是邪知邪見。以這個業因，他身壞命終，他生的去所，就不同了；生善趣，生到人間，享受富貴榮華。生天上呢？比這個人間更好。「或生天上，或生人中」，這就是不定的意思，看他善業惡業的大小，如來都如實而知之。「於彼衆生起大慈悲，勇猛精進，現三神變」，佛如實了知。這一類作善業的衆生，佛生起慈悲攝護之心。怎麼樣攝護他呢？令這個衆生以如來的神力，這個好的衆生，善業成熟的衆生，趣向於佛法。佛怎麼樣教誡安置他？成立了世間出世間信，在世間而信出世間法，先建立信心。

「何等爲三？一者神通變現，二者記說變現，三者教誡變現。由是三種變現威力，勸發有情，教誡安置，成立世間出世間信，令於一切有趣死生皆得解脫。」

三種神變，「何等爲三？一者神通變現，二者記說變現，三者教誡變現。」教誡他，好好增加善行，超出十善業，修習禪定，乃至給他授記，變現神通，記他在將來，示現神足通神境通，使他信心增長。如果我們得了不治之症，你念得誠懇，這麼一求，地藏菩薩給你治好了。你不但生起淨信，連周圍的親友都會生起淨信。

也有見著這種境界，他還是謗毀的，惡劣性的衆生，他就是這樣子，如果你說某某人因著念《地藏經》而得到菩薩加持，病好了，或者他的處境轉化了。不信的人就說，哪有這種事，那病本來就可以好的。也有不信的人，不信的理由就是惡根性的。善信的人，有他善信的理由。

所以，用那個神通異變去騙人家，因爲這是衆生的愛好。而正信的，他不墮邪知邪見，雖然也讚歎隨喜，但是認爲這不是究竟的，一定要懂這個道理。要這樣的勸發有情，安置他成立出世間法，令一切有趣死生，皆得解脫。有趣就是有生死苦輪的六道衆生，天、人、修羅、地獄、餓鬼、畜生。有趣，就是有六趣，這是指惡趣。有生死的，未得解脫的，讓他們都得到解脫。

「善男子，我成如是第九佛輪。由此輪故，利益安樂無量有情，得安隱住，得無驚恐，得無所畏，自稱我處大仙尊位，轉於佛輪，摧諸天魔外道邪論，處大眾中，正師子吼。」

我說的法都是正法，像師子吼似的，邪魔外道聞到，都摧伏了。就是這個涵義。

「善男子，如剎帝利灌頂大王，爲除四洲無量有情，種種身病，棄捨王位。以諸香湯沐浴身首，著鮮淨衣，端坐思惟，於諸眾生其心平等，慈悲護念，爲令解脫一切病故，以其種種香花伎樂，及餘供具，供養一切大威德天神。爾時，一切天帝龍帝，乃至莫呼洛伽神帝，知是事已，各相謂言，此剎帝利灌頂大王，具諸功德，有大威神，應作輪王，統四洲渚，我等宜應共往建立，令復王位，統四洲渚，令諸眾生，無病安樂。時諸天帝，乃至莫呼洛伽神帝，即便共往，立剎帝利灌頂大王轉輪王位，令具七寶，統四大洲，皆得自在，千子具足，勇健端正，能摧怨敵跨王大地，亙窮海際，謫罰皆停，刀仗不舉，咸修正法，普受安樂。善男子，剎帝利種灌頂大王，成就如是第十王輪。由此輪故，於四大洲，爰及八萬四千小渚，安立其中諸有情類，十善業道，善守護身，令增壽命，身壞命終，當生天中，受諸妙樂。」

這是第十個王輪，最好的世間法。這個刹帝利灌頂大王，他爲了要去除四大部洲衆生的病，「棄捨王位」，用這個香水，沐浴他的身體，著一個鮮淨的乾淨衣服。他就思惟了，思惟也就是觀想，對四大部洲的有病衆生，怎麼樣除掉他的身病？爲什麼有身病？身病是由於他過去多生的殺業重，所以身體才有病。

還有，身病好治，心病不好治。怎麼辦呢？給他說法，他是爲了解除這一切四洲的有情種種身病。他思惟了之後，就供養大威德的天神，這是指玉皇大帝說的，也是指第四天說的，並沒有包括梵天，因爲供養天帝是指第四天說的。還有龍王的龍帝，乃至八部鬼神衆，乃至於大蟒神的神帝，莫呼洛伽是蟒神。他供養這些神，讓這些神，以神力消除一切的衆生病，這只是身病，並沒有說法。

這位灌頂大王，他的功德具足了，有大威神，應該作轉輪聖王。這個轉輪聖王是指金輪聖王說的，要王四部洲。四部洲，金輪聖王是王四部洲。銀輪聖王，是王三部洲。銅輪聖王，是王兩部洲，鐵輪聖王，只能王到一部洲。

現在這個世界上沒有聖王了，這個時代也不像有聖王的業輪，國家無道，災害頻起，大家念《仁王護國經》就知道了。因為他的功德、福德，這些天神天帝龍帝乃至蟒神的神帝，八部鬼神的神帝，共相的聚會，討論研究這個輪王，可以讓他恢復王位，可以作灌頂大王。就立他為刹帝利灌頂大王，轉輪王位，讓他王四部洲，七寶具足。這個七寶不是金銀瑪瑙寶珠，而是四大部洲的七寶，一個是輪寶，這個輪王如果他的福報感於金輪王，這些鬼神天地就建設一個金輪。這輪有多大呢？最大的總統車也沒有他大，比那大輪船還大。他的眷屬、四大兵種，七寶都在這個輪子上。七寶都是輪寶。他可以乘這個輪子飛行四大部洲，東勝身洲、北俱盧洲、西牛賀洲，我們只能在南瞻部洲，因為在太陽的南面，太陽的北面是北俱盧洲，太陽的西面是西牛賀洲，太陽的東面是東勝身洲。

這是神話，佛經就引用這個神話來說明金輪王。我們不要說四大部洲，一個南瞻部洲有多少種族，多少語言，多少生活習慣。每一個部落有一個部落的生活習慣，已開發的國土，他有一種溝通的語言。未開發的地方，飛機都飛過，也有飛機到不了的地方。特別是海裡龍的種族，海裡的有情衆生，有多少類？王大四部洲，你得通一切語言。第一個是生活習慣。他有不同的風俗，要想統一，有那麼容易？統一四大部洲可不容易。他有這個神力，這是輪寶。

還有象寶，象跟凡象不同，也沒有普賢菩薩所騎的象那麼大的神通，而是一般的象寶。象寶就是象中之寶，這個象是寶象。還有，馬寶，天馬行空，就是馬寶的意思，天馬能飛。還有珠寶，珠寶就是如意寶珠。輪王所有的寶貝，跟我們的不一樣。我們沒有夜明珠，黑夜得用燈光。如果有顆夜明珠，這間屋子就亮了。還有我們也沒有避水珠，無論你走到江湖河海，拿避水珠，那水就兩面分開了，你就可以走過去。刮大風不論颱風，不論什麼風，你拿定風珠，往那一擱，風都沒有了。輪王有這個寶貝，本來具足，我們沒有福報見。不過，這些寶珠，都不如地藏菩薩手上的如意寶珠。修成跟地藏菩薩一樣，你就可以得到如意寶珠。

這是七寶，還有女寶。女寶，也就是美女，這些美女並不是貪慾的美女，而是很清淨的。大家聽講《維摩詰所說經》，天女挖苦舍利佛，那是菩薩化現的。但是這位輪王，雖然是有德的，還未感到是菩薩化現。歌女、妓女，大家可不能想到是唱歌的，要是想成我們人間的歌女，那就不成寶。在人間，什麼是寶？寶就是尊貴、稀少。因為這個涵義，所以說女寶。

還有總理統率軍隊，都在金輪上。那個大臣的威神不可思議，可以摧伏一切的怨敵。到了那個時候都是持戒，行十善業。哪裡有怨敵呢？國王的輪寶所到之處，都是清淨的，立他為灌頂大王。七寶具足了，統四大部洲，皆得自在。凡是一說到剎帝利王，這輪王具足千子，一千個兒子，但不是同一位夫人生的，或者無量的夫人，但是這種的情況，不能以一夫一妻制來論斷，這是不可行的。他的壽命極長、勇健，又有千子，而是行清淨行的。轉輪聖王，如果是邪淫，是不可以的，他也當不了轉輪聖王。這是意境。有時候是化生的，而且千子都是勇健端正，能摧怨敵。

凡是他所統率的四大部洲，亙窮海際，海際是很不容易窮盡的。太平洋、大西洋，這是我們所見到的，而須彌山的周圍七重金山、七重香水海，外面是鹹水大海。有句俗話，三山六水一分田，田地佔一份，三分是山地，六分是水地，能種的田只有一分。誰也沒有去量一量太平洋究竟有多大？還有五大洋！不只是一個洋，還有印度洋，還有南冰洋，北冰洋。亙窮海際，就是連海的邊界都窮盡了。這是說統率之廣，大地之外，一切的諸山諸海際，到他這個時候沒有刑罰，沒有責備，一切刑罰都停止了。也沒有責罰的刑具，刀杖不具，咸修正法，普受安樂。所以這個灌頂王成就了第十王輪。

由於這個輪的緣故，於四大洲，遍及八萬四千小渚，就是小洲。八萬四千個小洲，小國家，有八萬四千個。這是舉其大數，安立其中。這些有情類都行十善道，都守護自己的身，壽命增長，身壞命終，沒有墮三惡道。那個時候金輪王所統率的人民都是行十善業的。命終了都生天上，不會墮三惡道的。這只是在佛經上這樣說，究竟有好多個金輪王出世，並沒有記載。起碼在我們這個國土裡沒有記載，鐵輪王也沒有。那個時候，只是說率土之濱莫非王土。普天之下，僅僅是黃河兩岸而已。三皇五帝，他所統率的地點很小很小。那是坐井觀天，不知道人家外面的領土有好大，是這樣的涵義。僅得這個涵義就行了。

這就是用佛眼觀的。那個好的國土裡頭，好的四大洲時候，或這個洲建立的好多萬萬年。佛出世八萬歲的時候，有的佛住世一劫的時候。那些都是金輪王護法，可能有。但是釋迦牟尼佛，他的願力不是這樣子，人的壽命只有百年，國家是戰亂頻繁。佛在世的時候該沒有戰亂?佛在世的時候也一樣。

如果研究印度歷史的話，看看印度是什麼情況，一樣的。而且釋迦牟尼佛所化導的只是恒河兩岸，你到印度看佛的聖蹟，只在恒河兩岸。爾後，佛法傳佈到整個的四大部洲。除了北俱盧洲不信，其他都有，乃至於大千世界、三千大千世界。但是就我們所居住的國土，就我們所能見著的，就我們所了解的也是如是而已。這四大部洲像神話似的，因爲沒有記載，意識當中沒有留存這種回憶。或者前生有，現在都迷了。但是你要修，你勇猛精進的修，會得到神通，都有的。

所以有些大德，他入定觀察，能觀察到許多世界，他爲什麼不說呢?他說了誰信嗎?還會說他瘋了，精神錯亂。所以必須是平等的，佛示現在人間，他並沒有比人家高超好多。《阿含經》就說他跟人是一樣的，他也托缽乞食，生活起居是一樣的。因爲要度化人，他要是示現特高的，一般人就會感覺到高不可攀，我們怎麼能學得到？所以有人說像你們和尚，那些戒條，我們怎麼受？也有人看到，甚至於認爲不吃肉還行？有人說：「我也想當和尚，要是他要我不吃肉，我就不當。」西藏的教義，是可以吃肉的。但他連十萬大頭也磕不了，他會受不了。這種種的要是隨著欲望來認識，這是不可能的。要這樣來認識，王輪也如是。

「善男子，如是如來昔菩薩位，知自他身有無量種諸煩惱病，以定香水，洗浴其身，及以諦法大慈大悲，灌沐其首，著慚愧衣。十方一切諸佛世導，以諸靜慮，等持精進，方便智意，慈悲護念，咸作是言，如是大士，是大福慧莊嚴寶器，堪容一切三種不護。四無所畏，如來十力，及與十八不共佛法，堪得無上一切智智，大慈大悲，無不具足，常欣利樂一切眾生。是求佛寶商人導首，能救有情生死眾苦，能施有情涅槃大樂，我等一切諸佛世尊，應以誠言與其所願，令成如來應正等覺，得無上法，爲大法王，我於爾時依福慧力，勇猛精進，於四聖諦如實知已，證得無上正等菩提。善男子，如轉輪王統四大洲皆得自在，如是如來於四靜慮，四無色定，四種梵住，四無礙解，四聖諦觀，四無所畏，如來十力，及與十八不共佛法，一切種智皆得自在，如轉輪王具足七寶，如是如來成就七種菩提分寶，如轉輪王千子具足，勇健端正，能伏怨敵，如是如來有阿若多憍陳那爲最初，蘇跋陀羅蘇刺多爲最後。諸大聲聞，從佛心生，從佛口生，從法化生，得佛法分，諸漏永盡，各爲勇健，具四梵住，名爲端正，能伏一切天魔外道異論怨敵，如轉輪王化及八萬四千小渚。如是如來於百俱胝南贍部洲，於百俱胝西瞿陀尼洲，於百俱胝東毘提訶洲，於百俱胝北俱盧洲，於百俱胝諸大溟海，於百俱胝諸妙高山，於百俱胝四大王天，於百俱胝乃至非想非非想天，於百俱胝大輪圍山，於此高廣一佛土中，言音施化，皆得自在。善男子，我成如是第十佛輪。由此輪故，如實了知自身他身諸漏永盡，利益安樂無量有情，得安隱住，得無驚恐，得無所畏。自稱我處大仙尊位，轉於佛輪，摧諸天魔外道邪論，處大眾中，正師子吼。」

以下說佛輪。「善男子，如是如來昔菩薩位」，過去佛在兜率天行菩薩道的時候，只是親身經歷跟眾生的一道，知道自身、他身，也是就佛行菩薩道的時候，在因地的時候，沒有成佛之前，知道自己和一切眾生的身，都有無量種種的煩惱病。這不是灌頂大王的身病，他知道無量的煩惱病。佛用定香，除煩惱得用定除，定能生慧，用定香才能去除煩惱。以這個定的香水，來灌沐其身。甚麼灌沐呢？諦法，諦法是理法。香水洗浴是世間法，世間用香法，最乾淨，最清淨，最香潔，洗身病還可以，但是洗眾生煩惱病不可行。這個諦法，可以說就是心法，就是理法，入理，就是明心見性。以這個行大慈大悲，也就是救護一切眾生的意思，悲能拔苦，慈能與樂，給眾生快樂。拿大慈大悲水來沐浴其首，沐浴頭部。我們知道釋迦牟尼佛降生的時候，他的父王取四大海水來灌頂，那是世間法。他怎能取得呢？是龍王取的，他來供養佛的。

「著慚愧衣」，穿的衣服是慚愧衣，有慚有愧。慚者，就是自己有了過就懺悔，總感覺自己不足，沒有憍慢懈怠。精進勇猛，沒有貢高我慢的思想。自己要是作了壞事，要愧對人家。慚是自己內心，愧是行爲。如果是思想起個壞念頭，感覺有害於衆生，不論起什麼念頭都有害於衆生。同時，對自己也不利，這對修道不利，他所穿的衣服是這樣的衣服。衣服是保護身體的，用慚愧來護法身，使法身永遠清潔。十方一切諸佛世尊，都是「以諸靜慮」，靜慮還是定，就是思惟修。思惟修又叫三昧，又叫定。

「等持精進，方便智意」，等持是平等，戒定慧三學都是平等的受持，對一切衆生也是平等，沒有取捨。這樣的精進是作什麼呢？要求方便智慧。要想利益衆生，必須得有方便慧。關於諦法之理，必須有方便善巧。有這個慧，用那個慈悲護念，護念哪些個人呢？就是有諸煩惱病的人，有這些煩惱病的人，慈悲護念他們。

「咸作是言，如是大士，是大福慧莊嚴寶器。」他說，我在因地當中行菩薩道的時候，我是這樣做的。一切衆生對我稱揚說，是有大福慧，是莊嚴的寶器。那個寶是莊嚴的寶器，那是什麼呢？是福慧。這個寶器是承盛福慧的。他像寶一樣的，像寶器一樣承盛珠寶的。那個寶器，堪容一切三種不護。三種不護，有幾種的解釋，或者是說不護念的三塗也可以，或者是沒有護念的三寶之心也可以，或者地獄餓鬼畜生是三種不受保護的，不護念他們的。那麼我發菩提心的時候，乃至作到能夠容忍、堪容，就是可以令這一切衆生，不護的衆生，我都要護念他。這是反過來說的，容這個三種不護的，也就是可以護他們。

「四無所畏，如來十力」，四無所畏，前面講過了。如來十力跟十八不共法，過去很少講，只是提個名詞。這個名詞的涵義是很深的，我還是略略講一講。哪十種十力呢？就是如來的十種智慧，由智慧而產生的力量，由力量而產生利益衆生。

這十種智力，一者處非處智力。佛的智慧知道一切衆生，他的生處，過處他處。從那個處來，再去其他的生處，處非處智力。

二者業異熟智力。業因感的果報，這中間有異熟果，他的因錯綜複雜。

例如在這一生所作的事業，有善業有惡業，有善大惡小，有惡大善小。這種種的業，哪一個先成熟了，就先受哪一個報。佛是清清楚楚，有這種智慧。這是指一切眾生，不是一個兩個，一切眾生就包括太多了。

第三種，靜慮解脫等持之智力。能達到各種解脫，解脫就是定，靜慮就是定。我們說百八三昧，三昧就是靜慮，靜慮的定，定靜慮的過程也很多，在佛就是平等的持受。像我們受持了幾部經，每部經的一品，你是《法華經》的〈普門品〉，也算是受《法華經》。但僅僅是《法華經》二十五品當中的一品。而〈普賢行願品〉，〈普賢行願品〉是八十一品的最後一品，也算誦《華嚴經》了。誦一品等於誦全部經，是一樣的。要體會到這層意義，我們沒有這種心量，是不能平等的。持是任持的意思，以這種智慧對待一切的三昧，能夠使眾生解脫。

第四種，根勝劣智力，上根下根或者中根，這個是對機說法。這十種智力是對眾生說的。十種智力是對眾生說的，他知道他們是上根人，還是下根人，知道他們的根有沒有成熟。佛有這種智慧，叫智力。

第五種，種種勝解智力。一切法一切事物，一切理法，一切事法，佛有種種的勝解，超世間，超過二乘，超過菩薩。這種的智力超過十地，佛的十種智力是唯佛具足的，究竟圓滿的。

第六種，種種界智力。這個界是生長義，這個縣跟那個縣、這個村子跟那個村子的交界處，知道一切衆生的種性。在《華嚴經》講法界，界生種種法，所以叫法界。這個不說法界，叫種種勝解智力，有這種智慧。

第七種，遍趣行智力。我們剛剛解釋了五種遍行，但是那僅是初起念的時候，能夠普遍的知道衆生所作的業趣向哪一趣。十法界，我們經常說六趣，沒說聖人法界，聲聞、緣覺、菩薩、佛，這也趣向。如果我們現在的行爲是趣向佛法界，就是佛，你現在的用心，現在的思惟，現在的所作，這就是因。你向那個道上走，就在你作的時候，已經分別的趣向，這就很清楚了。如果是修苦集滅道法，你就趣向聲聞，學的是緣起十二因緣法，就趣向於緣覺法。修六波羅蜜、修般若波羅蜜、修六度萬行，那就趣向於菩薩法，菩薩就能究竟成佛了。這個是遍趣的。

第八種，入隨念智力，也就是說宿命通。佛是究竟的宿命，知道一切衆生的宿命。知道過去的一切無量劫衆生，每個衆生的無量劫事，佛都清清楚楚，乃至你現在的心念想什麼，從你現在起心動念，念你過去的無量劫，佛都清清楚楚，瞭如指掌。在《金剛經》上，佛比喻恒河沙一沙一界，乃至三千大千世界的一微塵，再作一個恒河沙一個恒河沙的沙子累積的，有那麼多的佛國土，每一個佛國土有無量無邊的衆生，佛都知道他們的心念。無量無邊的衆生心裡想什麼，那比我們現在的地球六十億人，不曉得多出千千萬萬倍。所以，我們的心念，佛都清楚。這就是念智力，這是不可思議的。最後，佛說，所有衆生心，過去心不可得，未來心不可得，現在心不可得，三心不可得。佛是這樣了解你的心念，剎塵心念可數知，剎塵的心念，佛都一個一個知道，念什麼，都給你數出來。這叫隨念智力，隨你想什麼，你只要一動念，佛都知道。

第九種，死生智力。死此生彼，死彼生此。生生死死，生生滅滅。

第十種，漏盡智力。佛是究竟漏盡，二乘人也叫漏盡了，再不作了，在那個時候只是不漏落三界。佛這個漏盡就是再不落漏九法界，也再不回轉菩薩。他也可以示現一切衆生，因爲他漏盡了，漏盡了才能夠示現。因爲示現，才能度這些衆生。這就是十種智力。

這是籠統的說一說。但《華嚴經》講十種智力又不同，講的又更深一點，但是各部經講的十種智力，講深講淺，認識的深淺，隨各人的智力。譬如大海水，味道是都是鹹味，你舀一杯也是鹹味，就是這個涵義。學佛法，只要你進入佛門，乃至於歸依佛、歸依法、歸依僧。這就是修行。

在受三歸的時候，我經常這樣來祝福大家。我說：「你就念歸依佛、歸依法、歸依僧，睡覺的時候要念，早上一醒的時候要念，這樣就具足一切佛法。」雖然你沒有這麼詳細的分別。總的來說，佛、法、僧，我們講的是法。法是誰說的？佛說的。誰傳的？和尙，僧人傳的。你一念佛法僧，這部經你具足，那部經你也具足，這法就具足一切法，十方一切法藏。在拜懺的時候不是這樣求嗎？這樣懺悔嗎？你要這樣理解十佛智。理解了之後，你多作迴向。

還有，十八不共法。十八不共是身無失，口無失，意無失，三業無失是三個。意就是念，就是身無失，就是身無過。那麼，佛的身跟一切眾生的身，乃至於菩薩都不共的。這是說佛的十八不共法，跟諸大菩薩共就不對，是不共的。佛的身而身無失、口無失、念無失，無異想，無不定心，心常在定中，乃至於示現化身，利益眾生都是在定中，沒有不定的時候。「那伽常在定」，就是這樣的一個涵義。沒有未經過佛智慧照了，無論哪一法，沒有一法不照了的。七欲無減，就是度生沒有厭倦。八精進無減，永遠精進，永遠精進。九念無減，念念不忘利益眾生。念無減，沒有說一念失掉了利益眾生的。

所以我們也要念念不忘三寶，一念都不失掉。我們二十四小時當中有好多念呀？所以我們跟佛距離有好遠就知道了。你說二十四小時當中，有好多念沒念三寶？你有好多念念三寶？自己很清楚。你念的是什麼？財色利祿，功名富貴，自己的家庭眷屬。我們和尚念寺廟道友，乃至於包括你念佛經，念佛，這都包括在內。你要是有貪著，心會不平等。我們有大小，從這到那都不成。像我們一睜開眼，一看是男的女的老的少的，分別相很多，這念都失了。欲無減，就是度眾生無減。精進無減，沒有一念退失的。

一切智慧相應無減，就是永遠不退。慧無減，解脫無減，解脫知見無減，身業隨智慧行，口業隨智慧行，意業隨智慧行，知過去智無礙。過去還有過去，過去還有無礙。無無礙，無障礙，知未來智慧無礙，知現在智慧無礙，一共十八。這叫十八不共法。這是不與一切菩薩共的，我們更說不上，不與我們共。唯佛與佛共同之法，這叫作十八不共法。

十力、十八不共，包括一切，這樣才能堪得無上一切智智，大慈大悲，無不具足。常行利樂一切眾生，常時心求。心樂，高高興興的利益眾生，我們都要學佛，學什麼呢？不要看這個醜，那個好，那個漂亮。漂亮的，你就很高興親近他，那個醜八怪，你看見不高興，離遠一點，跟你說話，你都不大耐煩，心不平等。

還有你厭惡的，還有害過你的人，怨敵，你第一個發心要度跟你作對的人，就是你的冤家。你要是能把你的冤家度了，你的六親眷屬自然都度了。你的煩惱就少了，怨恨心也沒有了，憎恨心也沒有了。他害過你，他用那個害你的心，你用慈悲心來跟他對照。

我講一個故事。我們在紐約的時候，有一位馬來西亞的小姐，她在那兒打工，在郵政局裡頭的同事當中，有一位白人小姐，對她簡直是處處刁難，兩個人共坐同一個辦公桌。她在我那兒拜懺，就氣到不得了。想請假，不幹這個事，但是又考慮到郵政局很難得進入。到了郵政局，勞保、福利都特別的好，想用詛咒來咒那位白人小姐，讓她倒霉。我說：「妳不要咒她，咒她更壞。妳拜懺給她拜，求她轉變思想。」她說：「她那麼害我，我還給她拜，還給她迴向？」我說：「這就是佛法的妙方法，用慈悲來對待怨害。過去，妳一定跟她有因緣，不然不會的。妳試試看。」頭一回不幹，說了兩三回，我就想出個方法。我說：「妳去買咖啡，妳多買一杯，中午都是喝咖啡吃點麵飽，妳買一份給她買一份，妳對她特別好。她越對妳不好，妳越對她好。妳作這麼十天八天看如何？」後來照我的建議做了，那位白人小姐居然對她好起來了，以前要停車，那位白人小姐特別把車停著，讓她停不進去。後來，對她特別好。

這是小事，也就是彼此沒有多大怨仇，說是這麼隨便一下子就轉了。像有大怨仇的，你對他怎麼好，他還對你心理一直不信任你。甚至母女、妯娌、弟兄，這種現象都有。是什麼原因呢？過去世有結。哪個結呀？那個疙瘩沒有解開。現在你就用善的方法，求佛菩薩加持他，來解這個結。我們解了，才能夠證得菩提。對於冤家，你要特別給他迴向。所以你要平等對待，沒有哪個好哪個不好。我們作法師的，對道友不要起分別心。或者這個道友智慧大，我一說他就會。我談的都很合得來，就對他特別好一點。另一位道友他對我很遠，心裡頭看到總是不如意，這可不成。這不是起大慈大悲心，越是這樣的道友越要對他特別好。他越是不上進，不精進，懈怠，要特別慈悲他，要原諒他，不要讓他懈怠。

我們有一位道友，在大陸上，歸依佛很多年，滿口葷味，罵人都帶髒字的。這就要不得。說話不開口還可以，一開口，這個道友那個道友怎麼樣，撥弄是非，這叫說三寶過。對出家人就說僧人的過，甚至於釋迦牟尼佛跟阿彌陀佛、藥師佛，他都有評價的。他還是學佛好多年，分別心太重。我們要把每位道友，都看作是釋迦牟尼佛。他用藥來救度衆生，這麼作，那是藥師佛。那是阿彌陀佛，那是不動如來，你也可以這樣講。五十三佛利生的方便不一樣。他們證得的根本智是一樣的，跟我們的具足法身是一樣的，但是方便善巧不一樣的，一定得懂，道友之間要和睦相處。

「善男子，我成如是十種佛輪，本願力故，居此佛土，五濁惡世一切有情，損減一切白淨善法，匱乏所有七聖財寶，遠離一切聰敏智者，斷常羅網之所覆蔽，常好乘馭諸惡趣車，於後世苦不見怖畏，常處遍重無明黑闇，具十惡業，造五無間，誹謗正法，毀呰賢聖，離諸善法，具諸惡法。我於其中成就如是佛十輪故，得安隱住，得無驚恐，得無所畏，自稱我處大仙尊位，轉於佛輪，降諸天魔外道邪論，摧滅一切諸有情類，猶如金剛堅固煩惱，隨其所樂，安立一切有力衆生，令住三乘不退轉位。」

這是佛的十輪，最後一段是總說。佛是對地藏菩薩說的，這位善男子，稱的是地藏菩薩。我因爲成就了以上所說的十種佛輪，又加上本來的願力，本願力故，要生這個五濁惡世，度脫一切苦難的有情衆生。對於這個善法，白淨是形容善法的，白者是對黑來對比，善對惡來對比，淨對垢來對比。這個五濁惡世的衆生，行的都是黑法，都是垢染法，都是不淨法。

七聖財寶，聖財寶跟前面七寶又不同。什麼是七聖財寶呢？信、戒、慚、愧、聞法、布施、智慧，七財寶。匱乏就是沒有，缺少。對一切有聰慧明智者的善知識，遠離這個五濁惡世，要是有智慧的人，所遇到的是愚癡的、渾濁的，都是惡業的衆生。

「斷常羅網」，斷是斷見，常是常見，都是不信因果的，不信善惡果報的。不是偏於斷，就是偏於常。或者認爲人死了，就斷滅了。常見如是，一切法常見如是。這就是覆蔽他自己的智慧心，覆蔽明瞭的心。他所好的是什麼呢？是住惡趣，「常好乘馭諸惡趣車」，他常作惡業，善業很少。乘惡趣車說達到的就是惡趣，這個惡趣是純指三惡道說的。因爲他不相信因果，對未來的受苦受樂，他不相信。他既然有斷見的思想，不相信未來的苦，所以不生恐怖之心。如果對未來的苦，生起恐怖之心，作這個惡事，作一件害人的事情，或者損人利己的事情，一定要受惡的果報。要是生起這個畏懼之心，他就不會作了。說害人者終害己，他不相信這個話，當然要得到現前的安樂，不管後果。

所以，他對後世的苦，他不恐怖，不怖畏。他所注重的、所行的，完全是黑業。被無明的黑暗覆蔽了，他就造十惡業。十惡業就是殺、盜、淫、貪、瞋、癡、妄言、綺語、兩舌、惡口。這都是惡業，也就是十惡業。五無間罪，五無間罪是弒父、弒母、出佛身血、破和合僧、弒阿羅漢。要是犯了這五種罪，下地獄就像射箭那麼快。毀謗正法，行邪見，佛所教誨的正法，他毀謗不信，不信就是毀謗。所說的是毀賢聖，破壞三寶，謗毀三寶。

謗毀佛所說的法，毀呰這些賢聖僧，這也是毀謗，涵義是一樣的。對於善法，距離就遠了，「離諸善法」。他所作的都是惡法，「具諸惡法」。這是形容說，這個五濁惡世的有情，他的身口意都是怎樣作的，他所作的是惡業。善法沒有了，損減了，損是損失，或者是減少，不是完全的毀滅了。因此，在五濁惡世的有情衆生，他所駕馭的都是惡趣的車，不是善趣的車。乘惡趣的車就是行十惡業，就會得到後世的苦果。他所處的，無論所處的時間、住的處所，所行的一切事，都是無明黑闇。所謂無明黑闇者，就是沒有智慧。因此，他具足十惡趣車，甚至比十惡還重的，要造五無間罪，毀謗正法，毀謗賢聖。五濁惡世的時候，我之所以能在得安隱住，所依據的就是以上所說的十種佛輪。

「我於其中成就如是佛十輪故，得安隱住，得無驚恐，得無所畏，自稱我處大仙尊位，轉於佛輪，降伏諸天魔外道邪論」，這一類衆生的煩惱，像金剛一樣堅固，很不容易轉變。我們每個人的煩惱是不是很不容易改變？很不容易改變，煩惱包括很多。因爲我們沒有智慧，看不清楚一切事物；我執我見總是很深，稍微不順自己的心，就產生煩惱。這類事很多，有輕、有重，要想斷除這種煩惱，很難。

所以佛說，要想在娑婆世界度衆生，娑婆世界剛強難調難伏，很難度脫。他的煩惱就像金剛一樣的堅固，在這種情況之下，佛還是隨他所喜樂的。這娑婆世界還是有好衆生，不完全都是這樣子，還是有智慧類的，或者想出離三界的，想求三乘果位的。那就隨他們所信樂的，安立一切有情衆生，給他們說法，令他們住三乘不退轉地，就是聲聞、緣覺、菩薩，不再退墮六道了，不在六道中輪轉。不退位是指六道說的，不退於凡夫。

「爾時會中一切菩薩摩訶薩眾，一切聲聞，一切天龍，廣說乃至一切羯吒布怛那眾人非人等，皆大歡喜。同唱善哉，雨大香雨，雨大花雨，雨眾寶雨，雨大衣雨，一切大地皆悉震動，聞說如是十種佛輪。於眾會中，有八十四百千那庾多菩薩摩訶薩得無生法忍。復有無量菩薩摩訶薩獲得種種諸陀羅尼三摩地忍。復有無量無數有情，初發無上正等覺心，得不退轉。復有無量無數有情逮得果證。」

他說，從天龍乃至乾達婆、阿修羅，乃至人非人等，聞到佛所說的輪，皆大歡喜。在會中的這些人，就是四衆弟子，有菩薩，有聲聞，也有緣覺，他們因爲佛所說的法，引起他們的歡喜。「同唱善哉」，也就是讚歎，同時，在這會中雨香雨，「雨大花雨」，就用香花衆寶來供養。數字用「雨」來形容，像普降甘霖那樣子。在這個時候，一切大地六種震動，地都震動了，也就是佛在說這個法時所感召的，地都震動了。聞說如是十種佛輪，聞到這個佛輪，這個會中的聽聞法者，八十四百千那庾多菩薩摩訶薩，「那庾多」是兆，「俱舍羅」是億，也就是億兆。在這個會中證得無生法忍的大菩薩有好多呢？八十四百千那麼多兆的菩薩，得到無生法忍。

「復有無量菩薩摩訶薩獲得種種諸陀羅尼三摩地忍」，證得無量三昧，「陀羅尼」是總持，總持著一切法。「復有無量無數有情，初發無上正等覺心，得不退轉。」有些衆生在這會中發了菩提心，得到信不退位。不退轉是指著信說的，信了之後而後發心，發了心再也不退失他的信心。還有，無量有情得到果證，這個果證，是初果、二果、三果、四果，或者緣覺。這種專指佛說十輪的時候，就有這麼多的菩薩，這麼多的有情，有的發心了，有的證果了，有的證了無生法忍的位子。就是最後說得益的部份。第二卷〈十輪品〉，就講完了。

五濁惡世的剛強衆生，像金剛那麼堅固的煩惱，大家可能有所體會。不過，弒佛出佛身血是不可能有的，但是紙像或泥塑木雕的像，破壞佛像，相應的有如是的罪。破法、謗法、謗僧，在僧中挑撥離間，破和合僧，造兩舌，搬弄是非，那個罪就大。這不是說是他以口業搬弄是非，而是破和合僧的罪，成爲逆罪。現在的情況，恐怕還不少。作這類業的衆生很多，不過，過去很少聽說有殺父殺母的現象，現在這類的犯罪案件也不少。爲什麼呢？業重了，衆生的福業愈來愈輕，乃至於沒有了，所以社會上才出現這些現象。佛說，佛法在世間，不離世間覺。前面用佛的十輪對照世間的十輪，刹帝利王的十輪，就是世間法，世間的現象，佛從世間，超出於世間，達到出世間。這僅僅是佛說的第二品。

從第三品開始，就廣泛解釋佛十輪的意思，那也是刹帝利王世間法的意思，兩個互相的情況都存在著。不過，現在的當前情況，世間法中，作十惡業的衆生比較嚴重。作十善業的很少，也不是沒有。歸依三寶的弟子都是作十善業的，但是就整個世界五十七億人口的比例來說，還是少數的，乃至證果成道，得到諸陀羅尼三摩地的菩薩，可能沒有了，既使有了，要是我們的福慧不具足，也見不到。發了菩提心的，能夠一信了，再也不懷疑了。對佛法僧三寶，信了之後能夠起行，依照佛所教導的法去做，這樣的衆生很少了。

十輪品　竟

國家圖書館出版品預行編目資料

地藏菩薩的觀呼吸法門：大乘大集地藏十輪經【十輪品】
夢參老和尚主講；梁國英，溫哥華地區道友，方廣編輯部整理．--初版．
--台北市；方廣文化，2004--　(民93)
面：　　公分
ISBN 957-9451-76-5(平裝)
1.方等部
221.35　　92022267

地藏菩薩的觀呼吸法門

大乘大集地藏十輪經【十輪品 第二冊】

主講：上夢下參老和尚
錄音整理：梁國英、溫哥華地區道友、方廣編輯部
封面設計：大觀創意團隊
出　　版：方廣文化事業有限公司
住　　址：台北市大安區和平東路一段177-2號11樓
電　　話：(02)2392-0003　　傳　真：(02)2391-9603
劃撥帳號：17623463　方廣文化事業有限公司
總 經 銷：聯合發行股份有限公司
電　　話：(02)2917-8022　　傳　真：(02)2915-6275
出版日期：2023年5月　2版6刷
定　　價：新台幣260元
行政院新聞局出版登記證：局版臺業字第六〇九〇號
網　　址：www.fangoan.com.tw
e-mail: fangoan@ms37.hinet.net

【夢參老和尚的叮嚀】

本書經夢參老和尚授權出版發行

No：D507-2

夢參老和尚系列
書 籍

方廣文化出版品目錄〈一〉

● 八十華嚴講述

HP01 大乘起信論淺述 (八十華嚴 導讀一)
H208 淺說華嚴大意 (八十華嚴 導讀二)
H209 世主妙嚴品 (第1至3冊)
H210 如來現相品・普賢三昧品 (第4冊)
H211 世界成就品・華藏世界品・毘盧遮那品 (第5冊)
H212 如來名號品・四聖諦品・光明覺品 (第6冊)
H213 菩薩問明品 (第7冊)
H214 淨行品 (第8冊)
H215 賢首品 (第9冊)
H301 升須彌山頂品・須彌頂上偈讚品・十住品 (第10冊)
H302 梵行品・初發心功德品・明法品 (第11冊)
H401 升夜摩天宮品・夜摩宮中偈讚品・十行品・十無盡藏品 (第12冊)
(H501～H903 陸續出版中......)

● 華 嚴

H203 華嚴經淨行品講述
H324 華嚴經梵行品新講 (增訂版)
H205 華嚴經普賢行願品講述
H206 華嚴經疏論導讀
H255 華嚴經普賢行願品大意

● 天 台

T305A 妙法蓮華經導讀

● 楞 嚴

LY01 淺說五十種禪定陰魔—《楞嚴經》五十陰魔章
L345 楞嚴經淺釋 (全套三冊)

方廣文化出版品目錄〈二〉

夢參老和尚系列
書 籍

● 地藏三經

地藏經

D506 地藏菩薩本願經講述（全套三冊）
D516A 淺說地藏經大意

占察經

D509A 占察善惡業報經講記(附HIPS材質占察輪及修行手冊)
D512A 占察善惡業報經新講

大乘大集地藏十輪經 D507（全套六冊）

D507-1 地藏菩薩的止觀法門（序品 第一冊）
D507-2 地藏菩薩的觀呼吸法門（十輪品 第二冊）
D507-3 地藏菩薩的戒律法門（無依行品 第三冊）
D507-4 地藏菩薩的解脫法門（有依行品 第四冊）
D507-5 地藏菩薩的懺悔法門（懺悔品 善業道品 第五冊）
D507-6 地藏菩薩的念佛法門（福田相品 獲益囑累品 第六冊）

● 般 若

B411 般若波羅蜜多心經講述（合輯本）
B406 金剛經
B409 淺說金剛經大意
B412 應無所住：金剛經十四堂課

● 開 示 錄

S902 修行（第一集）
Q905 向佛陀學習（第二集）
Q906 禪・簡單啟示（第三集）
Q907 正念（第四集）
Q908 觀照（第五集）

方廣文化出版品目錄〈三〉

地藏系列	D503 地藏三經 (經文版) (地藏菩薩本願經、大乘大集地藏十輪經、占察善惡業報經) D511 占察善惡業報經行法 (占察拜懺本) (中摺本)
華嚴系列	H201 華嚴十地經論 H202 十住毘婆沙論 H207 大方廣佛華嚴經 (八十華嚴) (全套八冊)
般若系列	B402 小品般若經 B403A 大乘理趣六波羅蜜多經 B404A 能斷金剛經了義疏 (附心經頌釋) B408 摩訶般若波羅蜜經 (中品般若) (全套三冊)
天台系列	T302 摩訶止觀 T303 無量義經 (中摺本) T304 觀普賢菩薩行法經 (中摺本)
部派論典系列	S901A 阿毘達磨法蘊足論 Q704 阿毗達磨俱舍論 (全套二冊) S903 法句經 (古譯本) (中摺本)
瑜伽唯識系列	U801 瑜伽師地論 (全套四冊) U802A 大乘阿毗達磨集論 B803 成唯識論 B804A 大乘百法明門論解疏 B805 攝大乘論暨隨錄
憨山大師系列	HA01 楞嚴經通議 (全套二冊)

方廣文化出版品目錄〈四〉

密宗系列

M001　菩提道次第略論釋 (全套四冊)
M002　勝集密教王五次第論
M003　入中論釋
M004　大乘寶要義論(諸經要集)
M006　菩提道次第略論
M007　寂天菩薩全集
M008　菩提道次第廣論
M010　菩提道次第修法筆記
M011　白度母修法(延壽法門修法講解)
M012 A　中陰–死亡時刻的解脫
M018　菩提道次第廣論集註 (卷一～卷十三)
M019　佛教的本質–《佛教哲學與大手印導引》
M020　業的力量–(與死亡的恐懼共處)

能海上師系列

N601 般若波羅蜜多教授現證莊嚴論名句頌解
N602 菩提道次第論科頌講記
N606 能海上師傳
N607 現證莊嚴論清涼記
N608 菩提道次第心論

論頌系列

L101 四部論頌(釋量論頌 現證莊嚴論頌 入中論頌 俱舍論頌)
L102 中觀論頌 (中摺本)
L103 入菩薩行論頌 (中摺本)
L104A 彌勒菩薩五部論頌
L105A 龍樹菩薩論頌集
L106 中觀論頌釋
R001 入中論頌 (小摺本)

方廣文化出版品目錄〈五〉

南傳佛教系列

SE05 七種覺悟的因素
SE06 南傳大念處經 (中摺本)
SE07 三十七道品導引手冊 (阿羅漢的足跡增訂版)
SE08 內觀基礎 《從身體中了悟解脫的真相》
SE09 緬甸禪坐 《究竟的止觀之道》(增訂版)

其他系列

Q701 單老居士文集
Q702 肇論講義
Q703B 影 塵-倓虛老法師回憶錄
Q705 佛學小辭典 (隨身版)
ZA01 參 禪《虛雲老和尚禪七開示》
ZA02 禪淨雙修《虛雲老和尚開示錄》
Z005 《禪宗公案》-李潤生著

夢　參　老　和　尚

再現地藏風采 開啟無盡誓願

地藏菩薩本願經《卷上 卷中 卷下》

《地藏經》是地藏菩薩法門的核心經典，夢參老和尚此次講述的特色，是著重在《地藏經》每一品、每一段的經文中，盡可能開示地藏菩薩的無盡誓願、地藏法門的重重奧義，並列舉古往今來的歷史經驗、發人深省的典故，乃至於夢參老和尚的個人修行體悟，加以說明，務期大眾掌握地藏菩薩法門的精髓，以及具體可行的修持要訣。

NO. D506 地藏菩薩本願經講述
25K 平裝(三本) NT:660

大乘大集地藏十輪經

夢參老和尚講述

《大乘大集地藏十輪經》共有八品十卷，自從唐代玄奘大師譯成中文之後，迄今千餘年，幾無任何相關經論註釋，可供參考研習。

1995年秋冬之際，旅居加拿大溫哥華地區的三寶弟子，特別禮請夢參老法師講述《地藏十輪經》，闡明這部經的微言奧義，讓現代人可以深入淺出的攝受地藏法門止觀境界。

NO. D507 大乘大集地藏十輪經講述
25K 平裝(六本) NT:1, 560

大乘起信論淺述

夢參老和尚主講　方廣編輯部整理

雄渾的力量
璀璨的智慧
一部陳述老和尚思想
體系的核心論典

一部陳述夢參老和尚思想體系的核心論典，更是學習《大方廣佛華嚴經》（八十華嚴）的前方便功課；細細品讀本書，將會感受到一股修行人特有的雄渾力量與璀璨的智慧。

〈大乘起信論〉，深具完整嚴密的真常如來藏思想，自從梁真諦三藏法師譯成中文後，對中國大乘佛教的發展產生了巨大的影響，不論華嚴宗、天台宗、淨土宗、禪宗，均奉〈大乘起信論〉為圭臬。

而老和尚此次開講〈大乘起信論〉，是以他的親教師—慈舟老法師〈大乘起信論述記〉為參考，並將〈大乘起信論〉「一心二門三大九相」的義理，重新敷演展開，俾能建立學者成佛的信心，銷除修行上的疑惑。

編號：HP01
ISBN：978-957-99970-3-4　　尺寸：18k (17x23cm)
裝訂：軟精裝 416 頁　　定價：新台幣 420 元

《華嚴經淨行品》為八十華嚴的第十一品，夢參老和尚講述《華嚴三品》是以〈淨行品〉為首，主要是增長我們修行的信德，用事顯理，彰顯信位菩薩「善用其心」的無礙智慧。

編號：H203
25K NT：280

為方便瞭解華嚴義海，夢參老和尚介紹了《華嚴經疏論纂要》第一卷的玄談導引。

在講解過程中，特別釐清了清涼國師與李通玄長者的異同，並將古奧的華嚴疏論，化為深入淺出的語言。

編號：H206A
25K NT：320

《華嚴經梵行品》是八十華嚴的第十六品，這一品表現出佛教義理當中純粹的思惟與辯證的理性，尤其是在面對出家人的清淨戒行上，這一品的經文更是逐一辯難，讓修行人可以銷除疑惑，證得空性。

編號：H324（增訂版）
25K NT：220

編號：H208
小16K NT：399

〈普賢行願品〉是《華嚴經》的最後一品，也是華嚴事事無礙的具體法門。

夢參老和尚以修持〈普賢行願品〉半世紀的經驗，提出修學《華嚴經》的要訣。

編號：H205
25K NT：300

2004年早春，夢參老和尚以九十歲高齡，在五台山講述《大方廣佛華嚴經》，完整開演華嚴甚深奧義。

為學習全套【八十華嚴】奠定基礎，隨書附贈一片紀念版DVD光碟，讓無緣親臨華嚴法會者，能如親臨現場參與請法儀式，聽聞老和尚演說華嚴大意。

淺說五十種禪定陰魔
《楞嚴經》五十陰魔章
夢參老和尚
開悟的楞嚴 初入佛門者不可或缺的導引
學習佛法應克服障礙，本書列舉了五十種修道上的危機，是初入佛門者不可或缺的導引。
淡極始知華更豔的說法境界
公元二〇〇八年三月，夢參老和尚在台弘法進入尾聲之際，因夢境之敦促，生起了開講《楞嚴經》的心願；
面對深 皺染的 句，老和尚此次開演楞嚴大意，以疏淡的方式凸顯《楞嚴經》的典雅莊嚴，
希冀大家能在楞嚴大法中 信仰妙明真體，銷除億劫顛倒想。
淺說五十種禪定陰魔 《楞嚴經》五十陰魔章
夢參老和尚主講
方廣文化出版 25K平裝 定價新台幣320元 ISBN：978-986-7078-30-8
廣